Joachim Fischer

SING & SWING

Arbeitsheft 2

für den Unterricht ab Klasse 7
an allgemeinbildenden Schulen

HELBLING
Innsbruck • Esslingen • Bern-Belp

Inhaltsverzeichnis

→ Verweis auf das Liederbuch
SING & SWING

Partnerarbeit

Gruppenarbeit

Verweise auf die Media App:

Hörbeispiel

Filmbeispiel/Link

Kapitel 1: Rhythm is it!

Inhalte
- Rhythmen identifizieren
- Balkensetzung
- gesellschaftliche Relevanz von Musik

Lied
- We Are the World (→ S. 248)

Teste dich selbst
BASISWISSEN AUFGEFRISCHT

Notenwerte – Pausen

1 Sortiere die Notenwerte nach ihrer Dauer in die Kästchen. Beginne mit dem längsten.

2 Schreibe in die Kästchen, um welche Notenwerte es sich handelt (Achtel, Viertel, Halbe, Ganze).

3 Ersetze alle blauen Noten durch eine Pause gleicher Dauer (schreibe z. B. auf eine Achtelnote eine Achtelpause).

4 Löse die „Notengleichungen".

      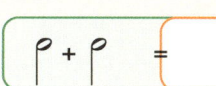

5 Verbinde die Kästchen, die zusammen gehören, und male sie jeweils mit der gleichen Farbe an.

Diese Note hat 3 Viertelschläge.

Hier fehlt ein Punkt.

○·

Der Punkt verlängert eine Note um …

Das ist eine punktierte Achtel.

Der Punkt verlängert eine Viertelnote um …

eine Achtel.

die Hälfte.

We Are the World

Interpreten: USA for Africa
T. u. M.: Michael Jackson / Lionel Richie
© Sony/Brockman/Brenda Richie/Mijac/Concord

1. There comes a time_____ when we need a cer-tain call,_____ when the

world must come to-geth-er as one._____ There are peo-ple dy-ing_____ and it's

time to lend a hand_____ to life, the great-est gift_____ of all._____

2. We can go on_____ pre-ten-ding day_____ by day_____ that some-

one, some-where will soon make a change. We are all a part_____ of_____ God's

great big fam - i - ly_____ and the truth you know, love is all_____ we need._____

Ref.: We are the world,_____ we are the chil - dren, we are the ones

_____ who make a bright-er_____ day_____ so let's_____ start giv - ing. There's a

choice we're mak - ing,_____ we're sav - ing our_____ own lives,_____ it's true.

_____ we make a bet - ter_____ day,_____ just you_____ and me.

Aufgabe 1 Rhythmen zuordnen

Die untenstehenden Rhythmen gehören zu sechs Ausschnitten aus **We Are the World**.

a Ordne die darunter stehenden Textabschnitte den Rhythmen zu (versuche es zunächst, ohne die Noten des Liedes zu Hilfe zu nehmen) und schreibe die Texte unter die Noten. (Ein Text fehlt, ist aber leicht im Lied zu finden, falls du ihn nicht auswendig ergänzen kannst.)

b Höre dir die Rhythmen in der App an und ordne sie den Notenausschnitten zu. Schreibe die Nummer des jeweiligen Hörbeispiels in das Kästchen.

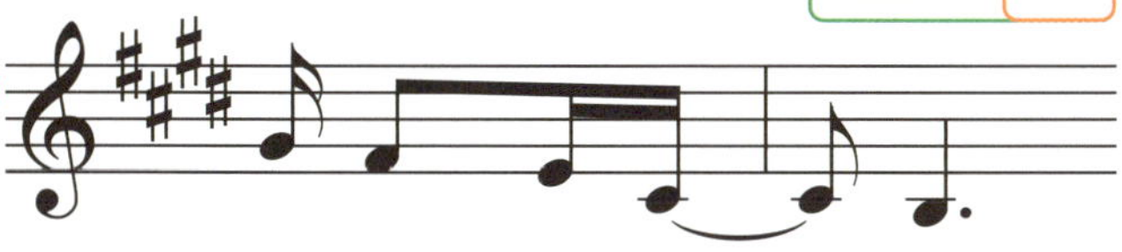

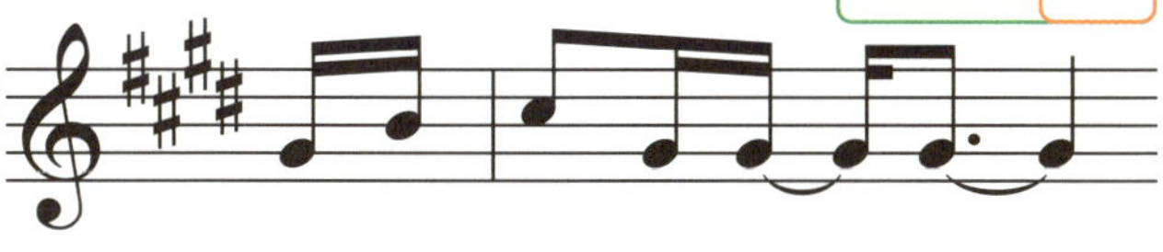

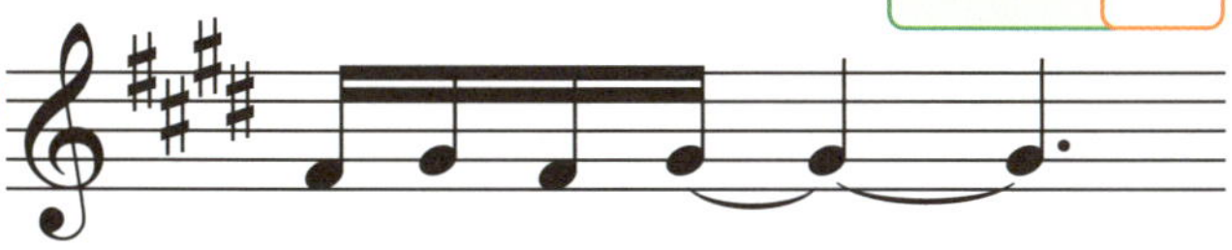

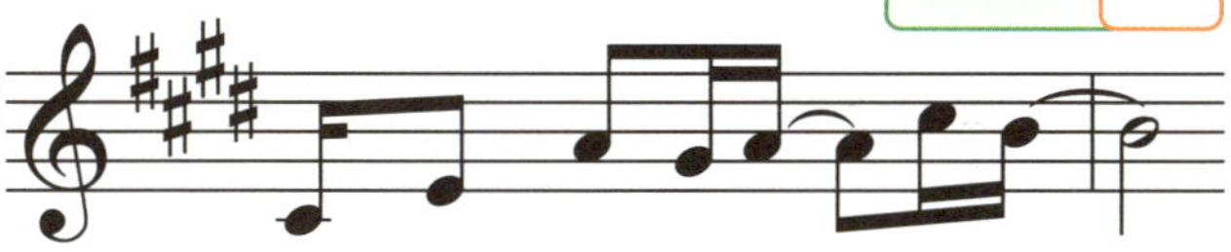

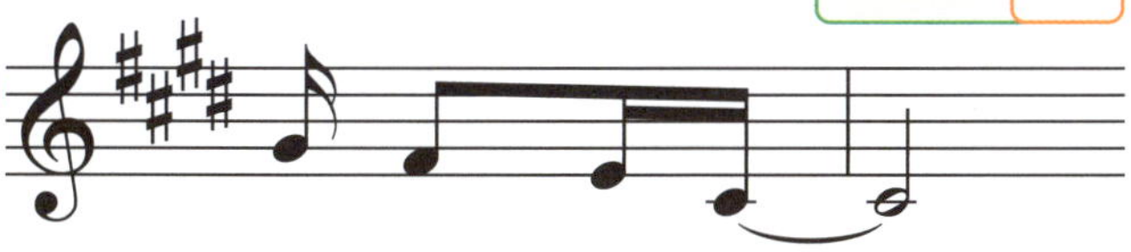

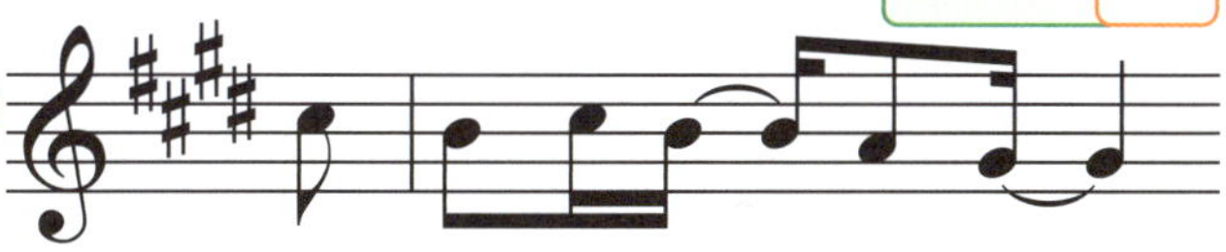

Aufgabe 2 Veränderte Rhythmen

Hier ist ein Ausschnitt aus der ersten Strophe, allerdings rhythmisch etwas verändert. Suche den Ausschnitt im Lied und schreibe die Noten so in die leere Zeile, wie sie im Lied stehen. Markiere die drei Stellen, die anders sind. Singe beide Versionen, um die Wirkung zu vergleichen.

... that some - one, some - where will soon make a change.

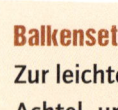

Balkensetzung

Zur leichteren Lesbarkeit komplizierter Rhythmen kann man die Balken von Achtel- und Sechzehntel-Noten auch kombinieren. Meistens werden Noten mit der Gesamtdauer einer Viertel verbunden.

Aufgabe 3 Balkensetzung

Im Notenbeispiel (Anfang der **Intrada a cappella** ➜ S.32) sind alle Achtel und Sechzehntel mit Fähnchen notiert.

a Schreibe die Noten in die leere Zeile und fasse sie mit Balken so zusammen, dass jeder Balken eine Viertelnote lang ist.

b Überprüfe dein Ergebnis anhand der Noten auf S.32 im Liederbuch.

Ohrzeit 1 Rhythmus

Du hörst vier Rhythmusdiktate. Notiere den Rhythmus. Höre sie dir Takt um Takt an und pausiere das Audio, solange du schreibst.

1 𝄆 4/4

2 𝄆 4/4

3 𝄆 4/4

4 𝄆 4/4

Aufgabe 4 Internet-Recherche

 a Schau dir das Video „USA for Africa" aus dem Jahr 1985 an und informiere dich im Internet über die Hintergründe. Nutze dafür die Leitfragen in der Mind Map.

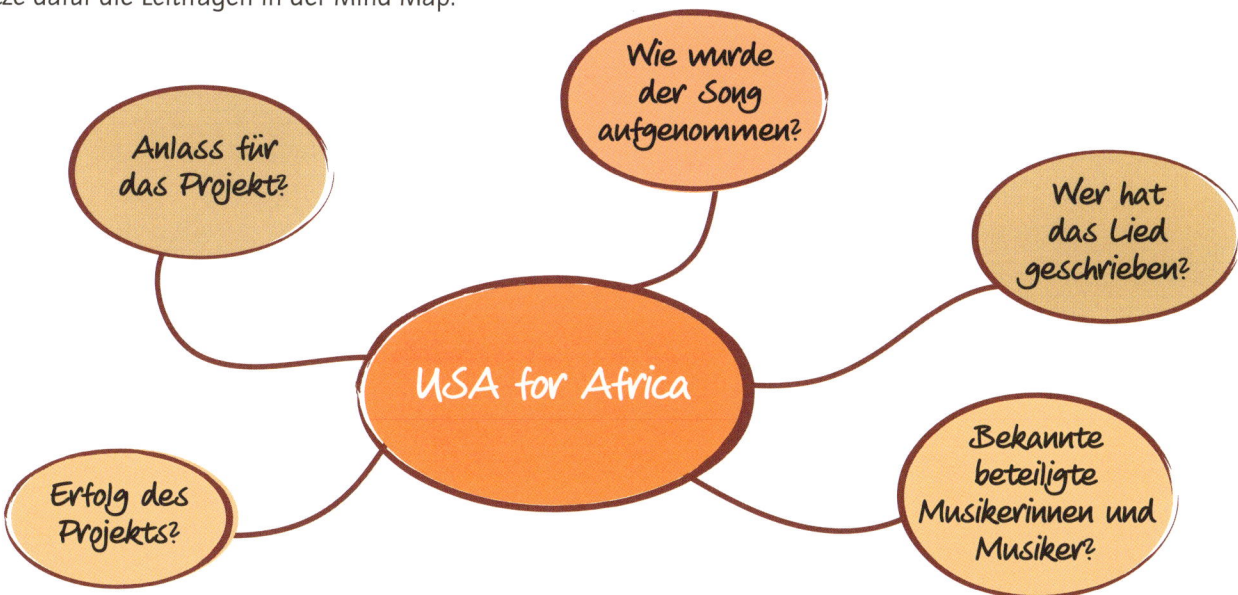

 b 2010 wurde der Song und die Idee dahinter noch einmal aufgegriffen. Schau dir das Video „Artists for Haiti – We are the World 25" an und suche auch darüber mithilfe der Mind Map Informationen.

c Der Song ist der gleiche wie 1985, der aktuelle Musikstil ist jedoch ein anderer. Benenne wesentliche Unterschiede zwischen den beiden Versionen.

d Quincy Jones war der Produzent beider Videos, die 25 Jahre auseinander liegen. Schreibe ein fiktives Interview mit ihm. Nutze dazu die Informationen aus Aufgabe **a** und weitere Details, die du wichtig oder interessant findest. Notiere Stichworte für 8–10 Fragen.

 e Wenn ihr die technischen Möglichkeiten dazu habt, produziert eine Radio-Reportage zum Thema. Schreibt Texte, die ihr vorlest und aufnehmt, macht Interviews und schneidet sie mit passenden Musik-Ausschnitten zu einer Sendung zusammen.

We Are the World (Mitspielsatz)

Arrangement: Joachim Fischer
M.: Michael Jackson / Lionel Richie
© Sony/Brockman/Brenda Richie/Mijac/Concord

Kapitel 2: Von Taktschlägern und Schlagzeugern

Inhalte
- Notenlesen
- regelmäßige und unregelmäßige Taktarten
- Schlagzeug
- Dirigierfiguren

Lieder
- Applaus, Applaus (→ S. 50)
- My Bonnie Is Over the Ocean (→ S. 120)
- Posakala mila mama (→ S. 124)

Applaus, Applaus (→ S. 50); My Bonnie Is Over the Ocean (→ S. 120); Posakala mila mama (→ S. 124)

Teste dich selbst
BASISWISSEN AUFGEFRISCHT

Taktarten – Rhythmus

1 Tippe mit einem Fuß einen Viertel-Grundschlag. Sprich dazu die folgenden Rhythmen auf Tonsilben, zähle die Fuß-Tipps und entscheide, um was für eine Taktart es sich handelt. Trage sie ein.

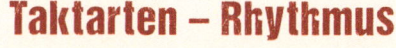

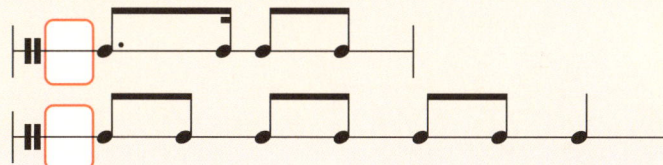

2 Die folgenden Takte sind falsch. Streiche jeweils eine überzählige Note weg, damit die Taktangaben stimmen.

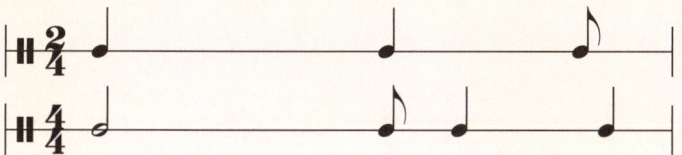

3 a Ordne die Liedzeilen den passenden Rhythmen zu und schreibe sie unter die Noten.

b Höre dir die Rhythmen in der App an und schreibe die Nummer des Hörbeispiels in das zugehörige Kästchen.

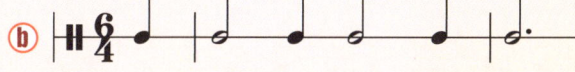
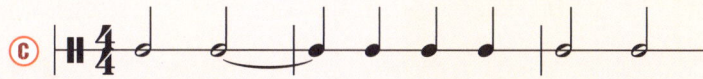

Wind Nord-Ost Startbahn null-drei — HB Nr.:

Halt das Känguruh fest, boy! — HB Nr.:

Hava nagila hava — HB Nr.:

He, ho, spann den Wagen an — HB Nr.:

Es kommt ein Schiff geladen — HB Nr.:

Applaus, Applaus

Interpreten: Sportfreunde Stiller
T.: Florian Weber
M.: Peter S. Brugger / Rüdiger Linhof / Florian Weber
© Sportfreunde Ed. / Arabella

1. Ist mei-ne Hand_ ei-ne Faust,_ machst du sie wie-der auf,_

_ und legst die dei-ne in mei-ne. Du flüs-terst Sät-ze mit Be-dacht

_ durch all den_ Lärm, als ob sie mein Sex-tant und Kom-pass wärn._

Ref.: App-laus, App-laus_ für dei-ne Wor-te. Mein Herz geht auf,_

wenn du_ lachst! App-laus, App-laus,_ für dei-ne Art_ mich zu be-geis-tern.

Hör' nie-mals da-mit auf! _ Ich wünsch' mir so sehr, du hörst nie-mals da-mit auf.

Aufgabe 1 Boomwhacker-Metronom

a In dieser Übung übernehmen zwei von euch die Aufgabe des Metronoms mit Boomwhackers (oder Xylofonen), die anderen singen die Strophe von **Applaus, Applaus**.

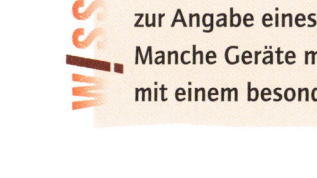

Ein Metronom ist ein Gerät zur Angabe eines Tempos. Manche Geräte markieren die 1 mit einem besonderen Ton.

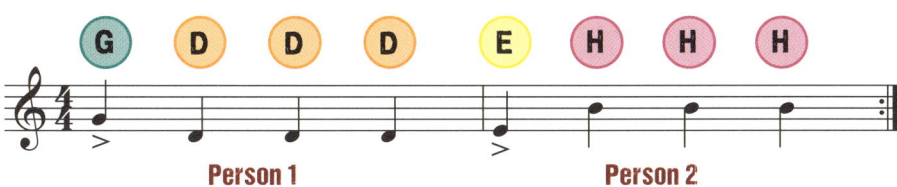

APP

b Singt jetzt den Refrain. Die Boomwhackers spielen hier in umgekehrter Reihenfolge, also erst Person 2, dann Person 1. Bei „Hör niemals damit auf" hört das Metronom auf *(break)*.

c Singt Strophe und Refrain direkt hintereinander und tippt die Zählzeiten mit den Fingern mit: Daumen auf die 1, Zeigefinger auf die 2, Mittelfinger auf die 3, Ringfinger auf die 4, dann wieder von vorne.

Aufgabe 2 Zählzeiten erfassen

Zum schnellen Notenlesen ist es wichtig, Zählzeiten auf einen Blick zu erfassen. **Applaus, Applaus** steht im $\frac{4}{4}$-Takt. Teile jeden Takt der untenstehenden Noten in vier kleine Kästchen mit jeweils einem Viertel Dauer auf und nummeriere sie von 1 bis 4. Singt dann den Refrain noch einmal und tippt im Metronom-Tempo auf ein Kästchen nach dem anderen.

Aufgabe 3 $\frac{6}{8}$-Takt

a Singt das Lied **My Bonnie Is Over the Ocean** (→ S. 120). Es steht im $\frac{6}{8}$-Takt. Da du keine sechs Finger hast, schlägst du die 1 mit der flachen Hand auf den Tisch und tippst die restlichen fünf Zählzeiten nacheinander mit den Fingern.

b Hört euch die Rock-Version des Lieds an und versucht, mit den Fingern mitzutippen. Zu welchem Ergebnis kommt ihr?

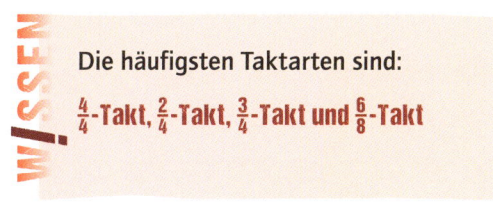

Die häufigsten Taktarten sind: $\frac{4}{4}$-Takt, $\frac{2}{4}$-Takt, $\frac{3}{4}$-Takt und $\frac{6}{8}$-Takt

Aufgabe 4 Auftakt

Die meisten Textzeilen in **Applaus, Applaus** beginnen auftaktig, d. h. mit einer unbetonten Silbe. Singe die abgedruckten Takte des Lieds ein paar Mal hintereinander. Verdeutliche dabei jeweils die betonte Note auf der 1 nach dem Taktstrich („wünsch'" und „nie-") mit einer Bewegung (Klatschen, Stampfen, Nicken …).

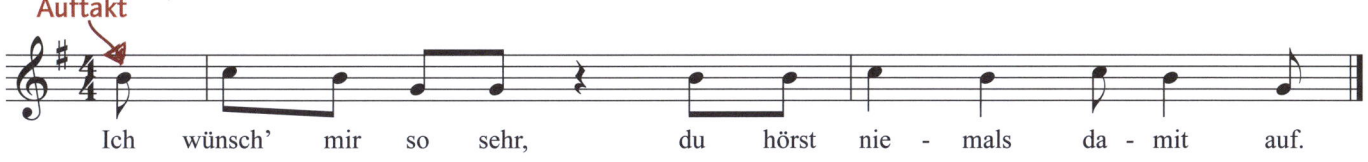

Aufgabe 5 $\frac{7}{4}$-Takt

Außer den gängigen 3er- und 4er-Taktarten gibt es z. B. auch Musik im 5er- und 7er-Takt.

a Übt die Bodypercussion im 7er-Takt auf S. 27 im Liederbuch. Erst, wenn ihr sie gleichmäßig und schnell beherrscht, geht zum Teil **b** der Übung weiter.

b Singt **Posakala mila mama** (→ S. 124). Das Lied steht im $\frac{7}{8}$-Takt. Spielt die Bodypercussion aus Teil **a** zum Lied (jeder Schlag entspricht einer Achtel).

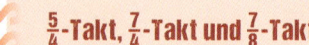

WISSEN

Die häufigsten unregelmäßigen Taktarten sind:

$\frac{5}{4}$-Takt, $\frac{7}{4}$-Takt und $\frac{7}{8}$-Takt

Sie sind immer aus einem 3er- und einem 2er-Takt ($\frac{5}{4}$-Takt) bzw. einem 3er- und einem 4er-Takt zusammengesetzt ($\frac{7}{4}$-, $\frac{7}{8}$-Takt).

Ohrzeit 2 Regelmäßige und unregelmäßige Taktarten

a Trage die Taktarten der vier Hörbeispiele in die Kästchen ein.

b Ordne den nebenstehenden Rhythmus dem richtigem Hörbeispiel zu und trage die Taktart in das Kästchen vor den Noten ein.

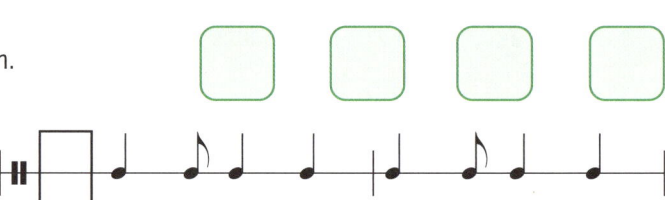

Aufgabe 6 Schlagzeug

Das Schlagzeug besteht eigentlich aus mehreren Instrumenten, deshalb wird es im Englischen auch als Drumset bezeichnet.

a Ordne die Bezeichnungen den Instrumenten zu und beschrifte die Abbildung.

WISSEN

Die wichtigsten Instrumente des Drumset sind:

Bass-Drum, Snare-Drum, Hi-Hat, Ride-Becken, Crash-Becken, Stand-Tom, Hänge-Toms

b Hier hat eine Drohne gefilmt und du siehst den Aufbau des Schlagzeugs von oben.
Beschrifte wieder mit den Begriffen von S. 12.

Schlagzeugnoten werden in der Regel im Fünfliniensystem notiert.
Zu Beginn steht ein doppelter Strich, der sogenannte Schlagzeugschlüssel.
Die wichtigsten Instrumente des Drumsets stehen auf unterschiedlichen
Linien.

Hi-Hat
Snare-Drum
Bass-Drum

c „Spiele" die folgenden Rhythmen, indem du rhythmisch mit den Fingern auf die entsprechenden Instrumente
im Bild oben tippst.

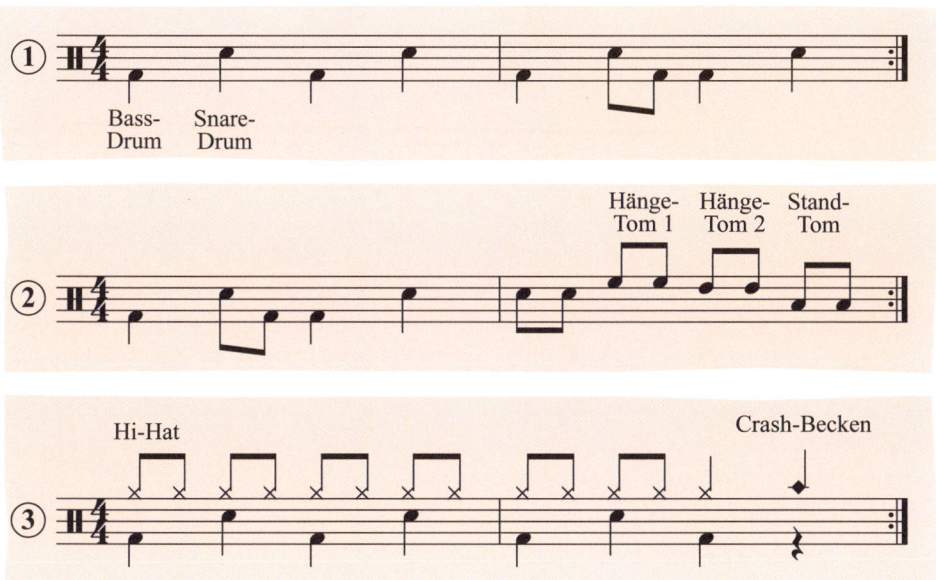

① Bass-Drum   Snare-Drum

② Hänge-Tom 1   Hänge-Tom 2   Stand-Tom

③ Hi-Hat   Crash-Becken

Aufgabe 7

Spielt die folgenden Rhythmen zu einer Aufnahme von **Applaus, Applaus**, – falls vorhanden, mit Rods (s. Abb.) auf einer Snare-Drum, sonst mit den Handflächen auf dem Tisch oder den Knien.

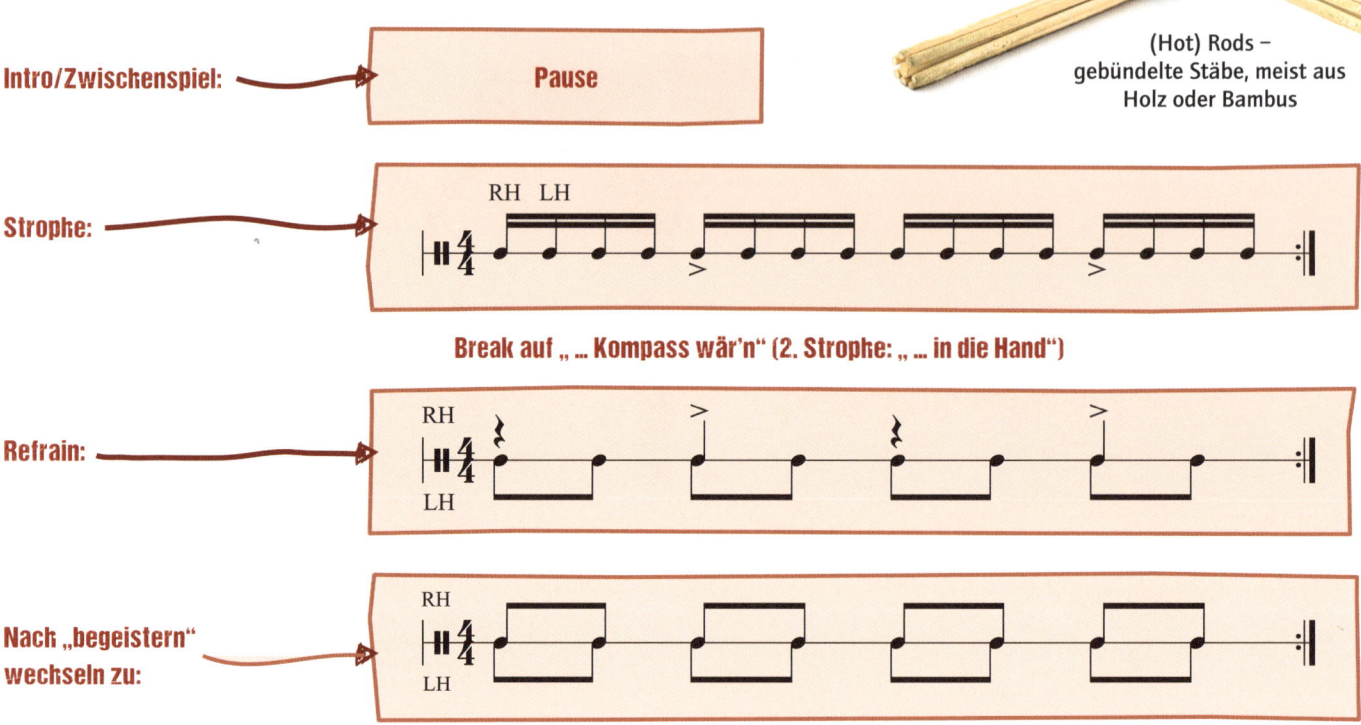

Intro/Zwischenspiel: → Pause

Strophe:

Break auf „ … Kompass wär'n" (2. Strophe: „ … in die Hand")

Refrain:

Nach „begeistern" wechseln zu:

(Hot) Rods – gebündelte Stäbe, meist aus Holz oder Bambus

Aufgabe 8

Rechts siehst du die Schlagfiguren für verschiedene Takte. Die Pfeile zeigen die Bewegungen des Taktstocks, die Punkte die Stellen, wo der Taktstock auf die Zählzeiten wie ein unsichtbarer Gummiball aufhüpft.

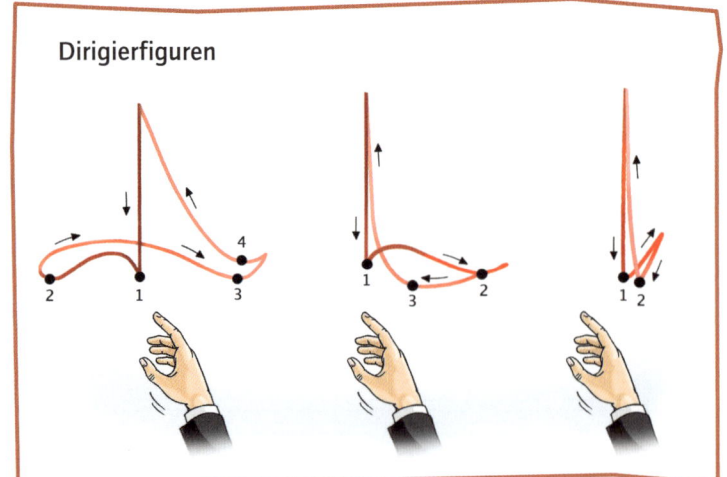

Dirigierfiguren

a Übertrage jede Figur vergrößert auf ein DIN-A4-Blatt.

b Stelle dich einer Partnerin oder einem Partner gegenüber. Dein Gegenüber hält ein Blatt in Höhe des Zwerchfells. Nimm einen Stift in die rechte Hand und „zeichne" die Figur mit schwingenden Bewegungen nach. Folge der Linie in der Reihenfolge der Zählzeiten.

c Zähle langsam, laut und gleichmäßig die Zählzeiten dazu (acht Mal hintereinander).

d Singt verschiedene Lieder und dirigiert den jeweiligen Takt dazu. Tauscht nach jedem Lied die Rollen.

e Finde eine Lösung, wie man den $\frac{7}{8}$-Takt dirigieren könnte.

Aufgabe 9

Wusstest du, dass Gehörlose die Hände schütteln statt zu klatschen? Es gibt ein Video, in dem der Text von **Applaus, Applaus** zum Song in Gebärdensprache übertragen wird. Schaut euch das Video an und lernt, die Gesten zur ersten Strophe mitzumachen.

Kapitel 3: Musikalische Weltreise

Inhalte
- Schnalzlaute ■ Sequenzen
- Haltebogen ■ vorgezogene Betonungen
- Musikalische Weltreise

Lieder
- Uyingcwele Baba (→ S.311)
- Aux Champs-Élysées (→ S.114)
- Musikalische Weltreise

Teste dich selbst
BASISWISSEN AUFGEFRISCHT

Auftakt – Liedtext-Bearbeitung

1 Ordne die Liedanfänge den Noten zu und schreibe den Text darunter. Entscheide, welches Lied mit unbetonten Silben (also mit einem Auftakt) beginnt und setze die fehlenden Taktstriche. Bestimme die Taktart.

| Let's joy-ful-ly raise our voi-ces |

| Horch, was kommt von drau-ßen rein |

| Zwi-schen Him-mel und Er-de |

2 Im folgenden Liedtext fehlen die Satzzeichen. Ergänze sie und unterteile den Text durch senkrechte Striche in Zeilen. Bestimme das Reimschema.

Ich weiß nicht was soll
es bedeuten dass ich so traurig
bin ein Märchen aus uralten
Zeiten das kommt mir nicht aus
dem Sinn die Luft ist kühl
und es dunkelt und ruhig fließt
der Rhein der Gipfel des Berges
funkelt im Abendsonnenschein.

3 Lies die folgenden Liedzeilen laut vor und markiere diejenigen mit gleicher Farbe, die das gleiche Betonungsmuster haben.

Sah' ein Knab' ein Röslein stehn
Himmel und Erde müssen vergehn
Fröhlich klingen uns're Lieder
Ein Vogel saß auf einem Baum
Freude, schöner Götterfunken
Einigkeit und Recht und Freiheit
Seht, unser Lächeln, ja welch ein Glück
Horch, was kommt von draußen rein
Der Papagei ein Vogel ist
Auf de schwäb'sche Eisebahne
Ich komme schon durch manches Land

Uyingcwele Baba

T.: nach einem Zulu-Ruf/Südafrika
M.: Lorenz Maierhofer
© Melodie: Helbling

Aufgabe 1 Zulu für Anfängerinnen und Anfänger

Wenn man so etwas wie „Nein, also sowas!" sagen will, machen manche Menschen ein Geräusch, das meist „ts, ts, ts"
geschrieben wird. Du legst dazu deine Zungenspitze von hinten an die Vorderzähne und lässt sie schnalzen (*).
In einigen südafrikanischen Sprachen gibt es mehrere solche Laute, sogenannte Schnalz- oder Klicklaute.
Der Buchstabe „c" im Titel dieses Lieds steht für einen solchen Laut.

Wiederhole jede der folgenden Übungen mehrfach, bis du sie flüssig sprechen kannst:
■ Sprich den Laut allein: ** ■ Sprich ein N davor: **n*** ■ Jetzt kommt ein U dahinter: **n*u**
■ Dann den Schluss des Worts dazu: **n*uele** ■ Schließlich den Rest des Worts dazu: **U-jing*uele**

Aufgabe 2

Der Text des Lieds besteht nur aus dem Titel, der mehrfach wiederholt wird. Zusätzlich bietet das Liederbuch
eine englische Fassung an. Erfinde einen deutschen Text, der sich auf die Melodie singen lässt, und schreibe ihn
hier unter den Originaltext. Achte auf Silbenanzahl und Betonungen: „U – yin" ist Auftakt, „gcwe" die erste betonte Silbe.

U – yin – gcwe – le   Ba – ba,   u – yin – gcwe – le

Aufgabe 3 Sequenzen

a Schreibe die Noten der ersten beiden Zeilen des Leadsheets von **Uyingcwele Baba** in den leeren Systemen weiter
(die letzte Zeile bleibt noch frei).

b Vergleiche die drei Zeilen miteinander und notiere deine Beobachtungen.

_____

c Schreibe in die letzte, leere Zeile eine weitere Sequenz, also die Noten der dritten Zeile, aber noch eine weitere Tonstufe höher. Singt auch diese Zeile zum Vergleich. Warum ist die Originalzeile besser als Schlusszeile geeignet?

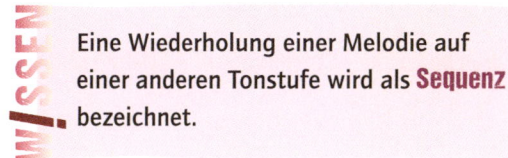

WISSEN Eine Wiederholung einer Melodie auf einer anderen Tonstufe wird als **Sequenz** bezeichnet.

_____

_____

d Parallelbewegung in Terzen hört sich meistens gut an. Singt in zwei Gruppen, die eine beginnt in Zeile 1, die andere in Zeile 3. Auf einfache Weise ergibt sich so eine Begleitstimme.

Aufgabe 4 Der Haltebogen

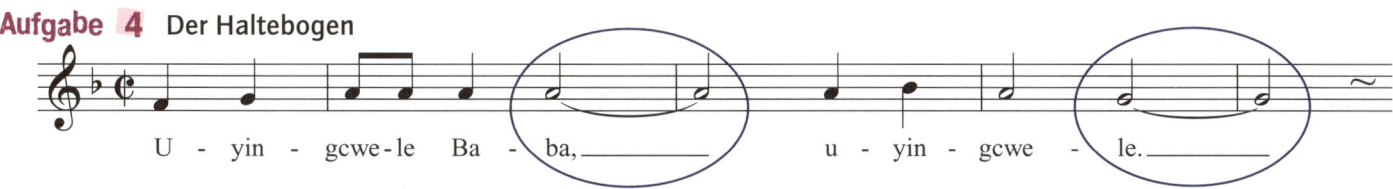

Die eingekreisten Silben sollen vier Schläge lang gehalten werden. Dadurch würden zu viele Schläge in einem Takt entstehen, weshalb die Note über den Taktstrich hinaus gehalten werden muss. In der Notenschrift wird die „Vierschlagnote" in zwei „Zweischlagnoten" aufgeteilt, die durch einen sogenannten **Haltebogen** verbunden werden.

a Ziehe im Notentext alle Haltebögen mit einem Farbstift nach. Bemerke, dass jeweils *eine* Textsilbe über *beide* Noten hinweg gehalten wird, und ziehe auch die Text-Längenstriche farbig nach.

b Untersuche das Lied **Aux Champs-Élysées** (➝ S. 114). Hier kommen insgesamt _____ Haltebögen vor. Sie zeigen oft an, dass eine Silbe kurz **vor** einer Zählzeit gesungen werden soll. In der Popmusik werden diese Noten deshalb als „Vorgezogene" bezeichnet.

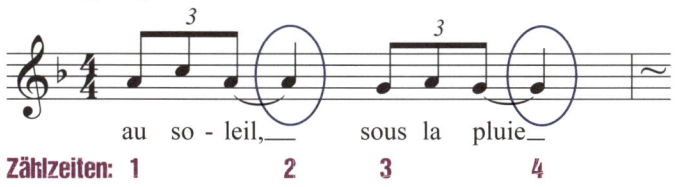

WISSEN Ein **Haltebogen** verbindet in der Notenschrift zwei Noten zu einer. Die zweite Note wird nicht neu angesungen oder angespielt.

c Singt das Lied und klatscht jede vorgezogene Note mit.

Ohrzeit 3 Haltebögen

Du hörst zunächst das Notenbeispiel so, wie es hier steht:

Die grünen Noten müssen aber eigentlich länger sein, so wie im zweiten Hörbeispiel.

a Bestimme die Länge der fehlenden Noten und hänge sie mit einem Haltebogen an die Note davor an.

b Höre dir die gesungene Version an und notiere alle Wörter, die auf vorgezogene Noten, also die mit den Haltebogen, gesungen werden:

_____

Aufgabe 5 Musikalische Weltreise

a Hier sind kurze Ausschnitte von Liedern aus verschiedenen Ländern aufgeführt. Finde mithilfe der Auswahlwörter die jeweilige Sprache heraus, bevor du im Liederbuch nachschlägst.

Englisch (4x) – Spanisch (4x) – Suaheli (2x) – Zulu – Maori – Japanisch – Hebräisch

b Ordne jedem Ausschnitt den passenden Liedtitel zu.

Seite	Titel	Herkunft	Sprache	Textausschnitt
28		Neuseeland		Epo, i tuki, tuki
29		Trinidad		First of all you need a rhythm
102		Kanaren		un poquito bailas
104		Kuba		Yo soy un hombre sincero
105		Peru		llévame a mi hogar en los Andes
106		Mexico		La cucaracha, la cucaracha
107		Jamaica		I'm sad to say, I'm on my way

c Sucht die Herkunftsländer auf der Weltkarte und diskutiert die folgenden Fragen:

■ Wie kommt es, dass z. B. Englisch und Spanisch an so vielen verschiedenen Orten gesprochen werden?

■ Warum wird Suaheli (Swahili) bei uns an keiner Schule gelehrt, obwohl 80 Millionen Menschen es sprechen?

■ Welche Länder waren leichter zu finden als andere, und warum?

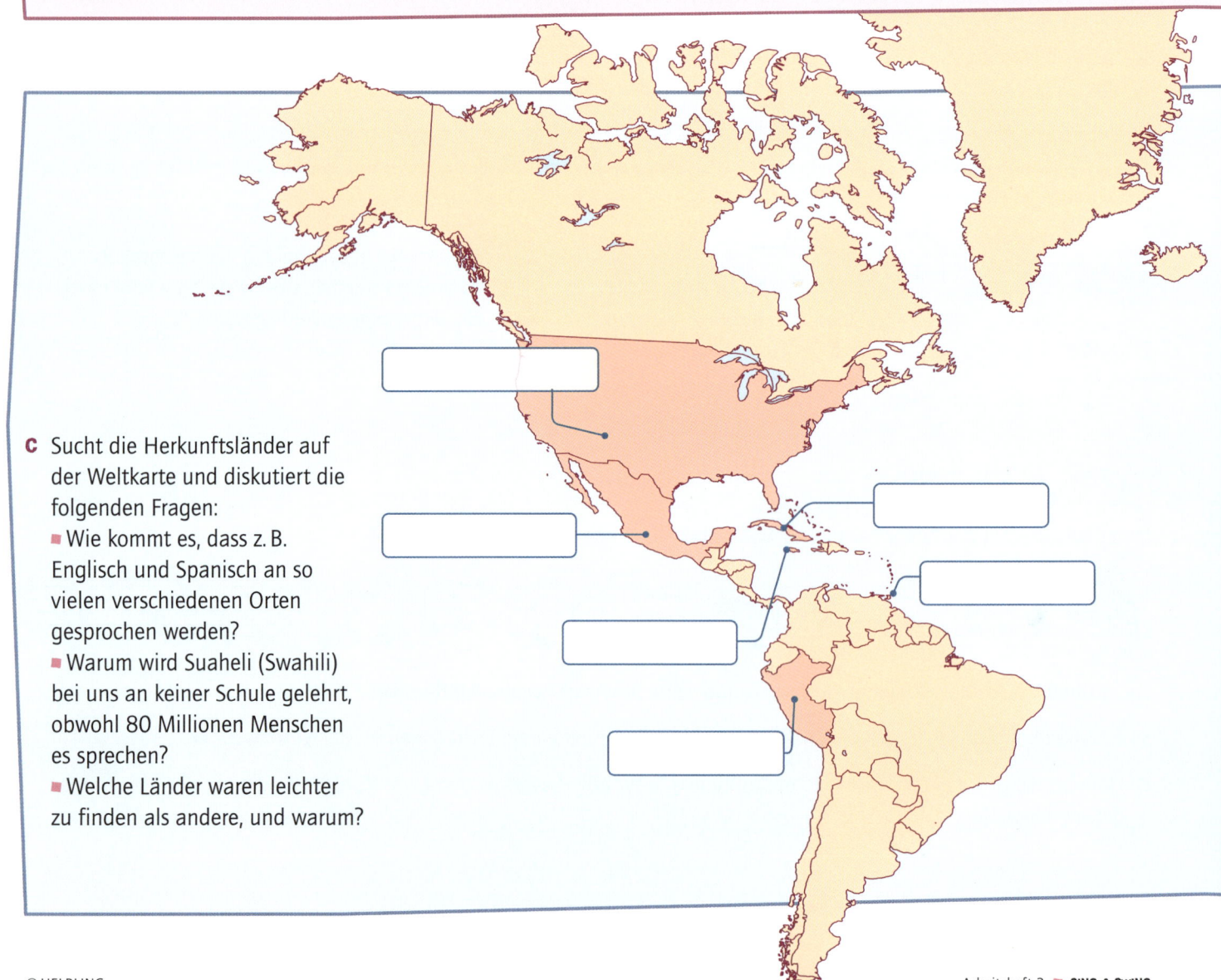

d Stellt Lieder in verschiedenen Sprachen zu einer musikalischen Weltreise zusammen. Macht eine Klassenumfrage: Wer kennt Lieder (z.B. auch Nationalhymnen) aus anderen Ländern? Plant eine Aufführung der Lieder mit zusätzlichen Texten und Bildern. Weitere Tipps für eine solche Aufführung findet ihr im Band 1 auf der vorletzten Seite („Musikalische Europareise").

Seite	Titel	Herkunft	Sprache	Textausschnitt
111		USA		As I was walking
130		Israel		shalom alechem
134		Kenia		Wageni mwakaribishwa
138		Japan		yayoino sorawa
138		Australien		merry king of the bush is he
310		Uganda		Iwe mukama waitu singa
308		Südafrika		ekukhanyeni kwenkhos'

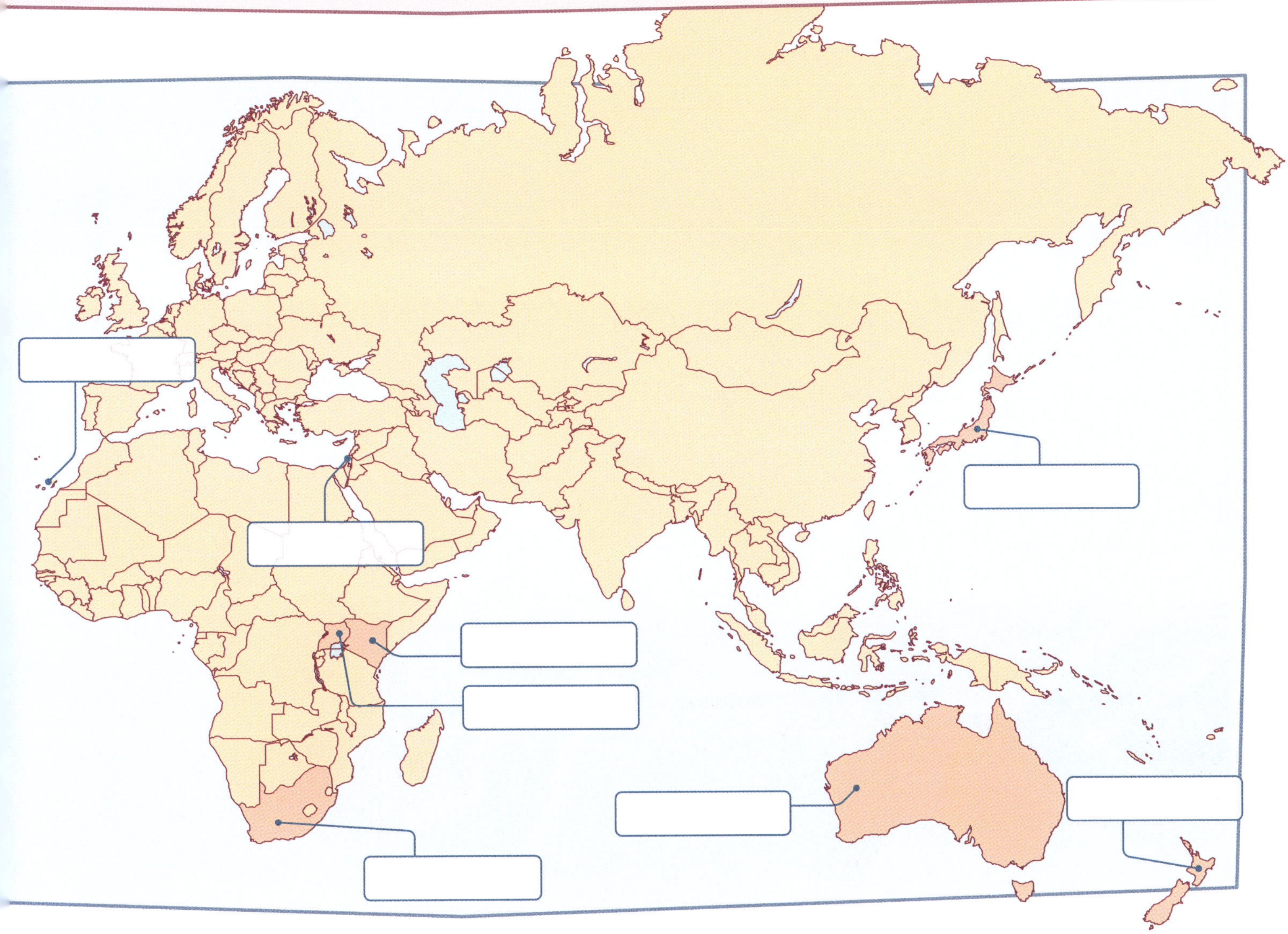

Uyingcwele Baba (Mitspielsatz)

Arrangement: Joachim Fischer
© Helbling

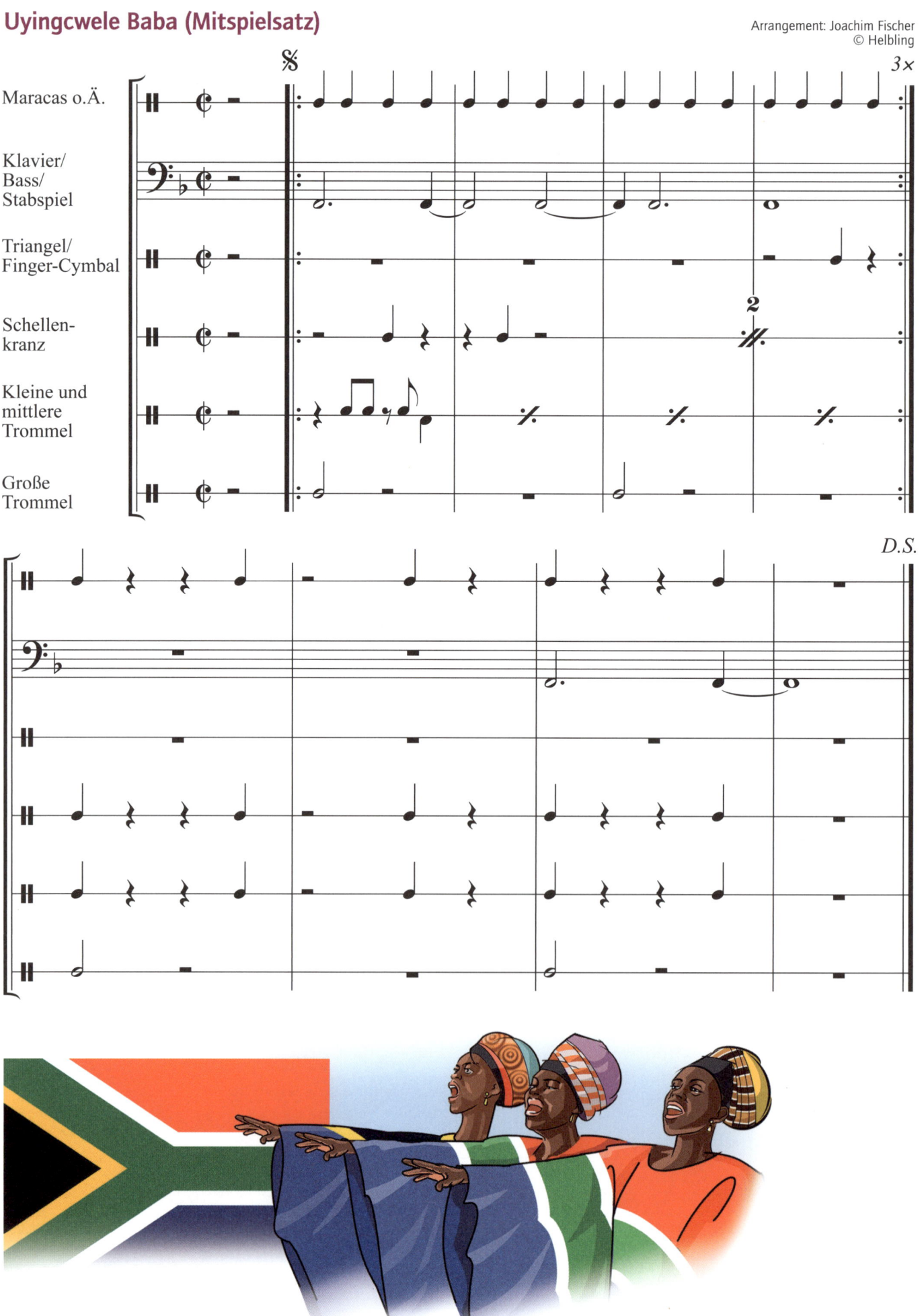

Kapitel 4: Drei Akkorde für's Lagerfeuer

Inhalte
- Synkopen ■ Konzert- vs. E-Gitarre
- Gitarren-Schlagmuster
- Hauptstufen ■ Guidelines

Lieder
- Leaving on a Jet Plane (➞ S. 145)
- Calypso (➞ S. 29)

(➞ S. 145), (➞ S. 29)

Teste dich selbst
BASISWISSEN AUFGEFRISCHT

Synkopen – Gitarre

1 In den Notenbeispielen sind die betonten Silben unterstrichen. Umkreise davon alle, die zwischen den Zählzeiten stehen, also nicht auf 1, 2, 3, oder 4.

I'm rea-dy to go___

So kiss me___ and smile for me___

I'm leav-ing on a jet - plane

2 Streiche alle Begriffe, die nichts mit der Gitarre zu tun haben:

Griffbrett – Tasten – Steg – Wirbel – Bogen – Knöpfe – Saiten – Bünde – Kasten

Beschrifte mit den übrigen die Grafik rechts und markiere die obersten drei Bünde farbig.

Leaving on a Jet Plane

Interpret: John Denver
T. u. M.: John Denver
© BMG/Hal Leonard

1. All my bags are packed,___ I'm read-y to go,___ I'm stand-ing here___ out-
But the dawn is break-ing, it's ear-ly morn', ♪ ta-xi's wait-ing, he's

side___ your door,___ I hate to wake you up to say good-bye._____
blow-ing his horn,___ al-read-y I'm___ so lone-some I could cry._____

Ref.: So kiss me___ and smile for me,___ tell me that___ you'll wait for me,___ hold me like___ you'll

nev-er___ let___ me go._____ I'm leav-ing on a jet___ plane,

don't know when I'll be back___ a-gain. Oh babe, I hate to go.___

2.

There's so many times I've let you down,
so many times I've played around,
I tell you now they don't mean a thing.
Ev'ry place I go I'll think of you.
Ev'ry song I sing, I'll sing for you.
When I come back I'll bring your wedding ring.

Aufgabe 1 Synkopen

Das Lied **Leaving on a Jet Plane** beginnt mit „All my bags are packed".
Vergleiche die beiden rhythmischen Versionen von „bags are packed" mithilfe der App:

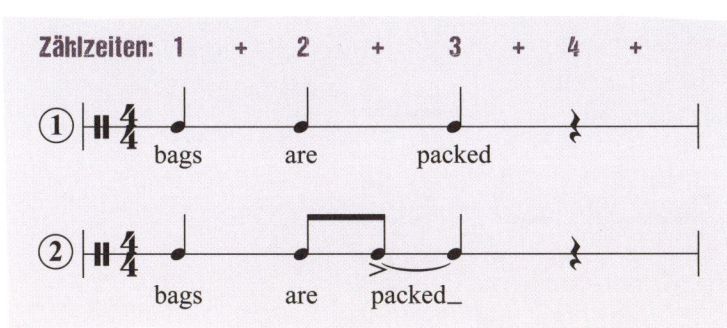

WISSEN
Bei einer Synkope wird eine betonte Note an eine Stelle im Takt verschoben, die eigentlich nicht betont ist. In populärer Musik spricht man von „vorgezogenen" Noten.

a Ziehe von den Zählzeiten senkrechte Linien durch die Noten. Die Note auf „packed" ist in Version ② vorgezogen, sie steht <u>zwischen</u> zwei Zählzeiten, auf der „2 und". Eine solche Betonungsverschiebung nennt man **Synkope**.

b Klatscht ein Viertel-Metrum und sprecht immer abwechselnd die Version ohne Synkope und die mit Synkope (so wie sie im Lied erscheint).

c Macht das gleiche mit den folgenden Satzteilen, die alle im selben Rhythmus im Lied vorkommen:

standing here   hate to wake   smile for me   tell me that   wait for me

hold me like   on a jet   I'll be back   hate to go

d Singt die zweite Strophe, findet weitere Satzteile, die in diesem Rhythmus gesungen werden und schreibt sie auf.

Aufgabe 2 Vergleich Konzertgitarre und E-Gitarre

Die E-Gitarre weist ein paar Unterschiede zur Konzertgitarre auf. Schau dir das Bild der E-Gitarre an und schreibe die fehlenden Begriffe in die richtigen Kästchen.

Anschluss für Verstärkerkabel ■ Tonabnehmer (pick-ups) ■ kein Schallloch ■ dünner Korpus aus massivem Holz

Lautstärke- und Klangregler

APP

Aufgabe 3 Schlagmuster

Man kann die Gitarrensaiten mit der rechten Hand zupfen („fingerpicking")
oder sie anschlagen („strumming"). Um diese zweite Technik soll es hier
gehen. Verwende ein Plektrum (oder bastle dir eines aus Pappe),
nimm es zwischen Daumen und Zeigefinger und schlage die Saiten aus
dem Handgelenk an, abwechselnd von oben nach unten und von unten
nach oben. Mit der linken Hand hältst du zunächst nur die Gitarre fest.

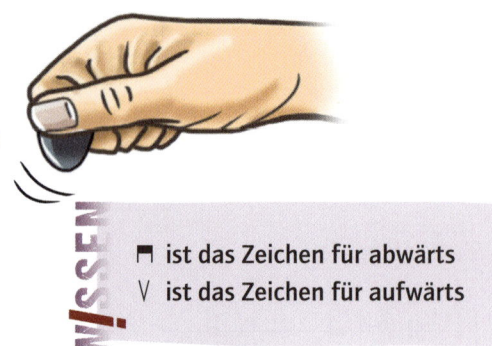

WISSEN

⊓ ist das Zeichen für abwärts
ᴠ ist das Zeichen für aufwärts

Geschrieben wird dieses
Schlagmuster so:

Gezählt wird dazu so: ➔ 1 und 2 und 3 und 4 und

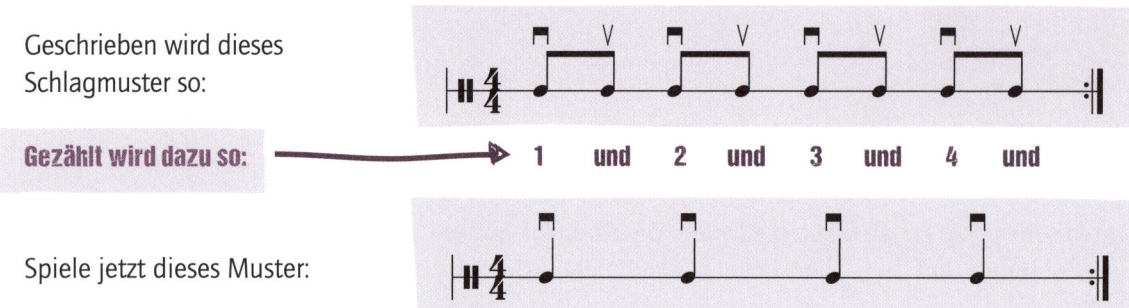

Spiele jetzt dieses Muster:

Auf dem Weg zurück nach oben berührt das
Plektrum die Saiten nicht. Man nennt das einen
„Luftschlag" (grün notiert). Die Hand geht also
immer gleichmäßig ab und auf, die Saiten
werden aber nur beim Abschlag berührt.

Luftschläge

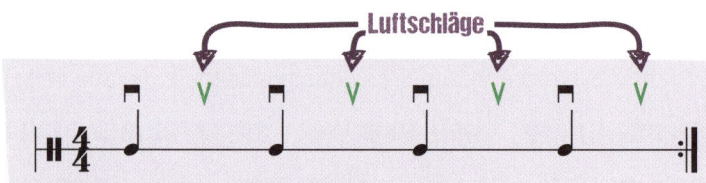

Für Country-Songs eignet
sich der „Westernschlag":

Westernschlag

Und für ganz viele Pop-Titel passt der sogenannte
„Lagerfeuerschlag". Der Rhythmus entspricht der
Textzeile „I'll be back again" im Refrain von
Leaving on a Jet Plane.
Sprich die Zeile zum Üben des Schlagmusters dazu.

Lagerfeuerschlag

I'll be back ___ a – gain

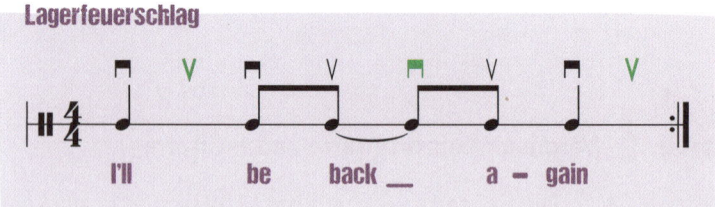

Aufgabe 4 Die linke Hand

Um verschiedene Akkorde zu spielen, muss man mit der linken Hand Griffe lernen.
(Wenn du dich damit näher beschäftigen willst, schau dir die Übersicht auf S. 350 im Liederbuch an.)
Weil das aber Zeit und Übung braucht, behelfen wir uns zunächst mit einem Trick: Die Saiten werden so gestimmt,
dass man für den ersten Akkord von **Leaving on a Jet Plane** gar nichts greifen muss. Bitte deinen Lehrer oder
deine Lehrerin darum oder verwende dazu, falls vorhanden, ein Stimmgerät.

Originalstimmung

e'	
h	
g	
d	
A	
E	

Neue Stimmung

d'	
a	
fis	
d	
A	
D	

a Zur Begleitung von **Leaving on a Jet Plane** genügen drei Akkorde: *D*, *G* und *A*. (*Em* kann durch *G* ersetzt und alle *7er* können weggelassen werden). Schreibe die Akkordsymbole übersichtlich in die Tabelle (ein Kästchen ist ein Takt):

Strophe

D			
			:||

Refrain

			von vorne

Schluss

D			

APP

b Spiele die Akkorde zum Lied mit Barrégriffen.

Aufgabe 5 Hauptstufen

Umkreise in der D-Dur-Tonleiter die Grundtöne der drei Akkorde, die du zur Begleitung von **Leaving on a Jet Plane** brauchst.

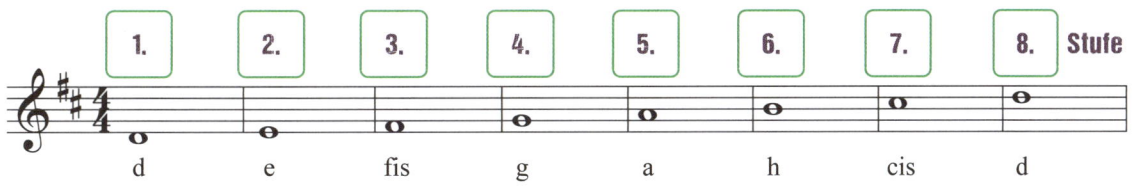

| 1. | 2. | 3. | 4. | 5. | 6. | 7. | 8. | Stufe |

d   e   fis   g   a   h   cis   d

a Sieht man die Ton„leiter" als „Treppe", dann stehen diese drei Töne auf folgenden Stufen dieser Treppe:

auf der _____, der _____ und der _____ Stufe.

b In der Musik werden diese Stufen mit römischen Zahlen bezeichnet. Schreibe die römischen Zahlen über die Tonleiter und markiere die Zahlen I, IV und V mit Farbe.

Stufe:

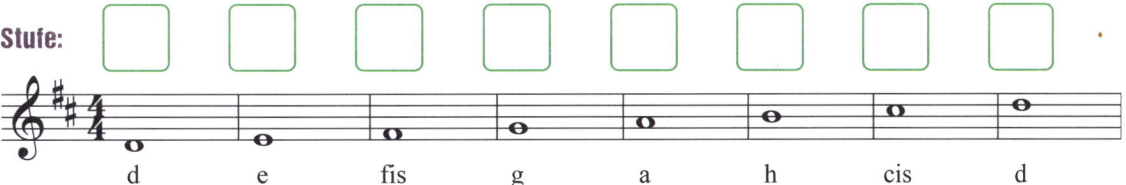

d   e   fis   g   a   h   cis   d

> **Die Dreiklänge auf der I., IV. und V. Stufe einer Tonleiter sind die sogenannten „Hauptstufen" einer Tonart. Es gibt hunderte Lieder, für deren Begleitung man nur diese drei Hauptakkorde braucht.**

WISSEN

c Singt den Kanon **Calypso** (➜ S. 29). Zeigt mit den Fingern an, welche Stufe gerade erklingt.

d Zähle jeweils die drei Stufen ab und trage sie in die Tabelle ein:

	1. Stufe (I)	4. Stufe (IV)	5. Stufe (V)	Beispiellied
D-Dur	D	G	A	
C-Dur				
G-Dur				
F-Dur				

e Untersuche die Akkordsymbole der folgenden Lieder.

■ **Lass doch den Kopf nicht hängen** (➜ S. 59) ■ **Am Brunnen vor dem Tore** (➜ S. 73)
■ **Es ist für uns eine Zeit angekommen** (➜ S. 338) ■ **Horch, was kommt von draußen rein** (➜ S. 66)

Sie alle kommen mit den drei Hauptstufen aus (eingeklammerte Akkorde und 7er-Akkorde ignorieren). Ordne sie anhand der verwendeten Akkordsymbole den vier Tonarten zu und trage sie in die Tabelle ein. Schau dir jeweils das erste und letzte Akkordsymbol der vier Lieder an. Welche Regelmäßigkeit kannst du erkennen?

Ohrzeit 4 **Kadenzen mit Hauptstufen**

Du hörst mehrere Akkordfolgen. Höre sie dir mehrfach an. Es kommen nur Hauptstufen vor,
also Dreiklänge auf der I., IV. und V. Stufe der Tonart.

a Du hörst der Reihe nach: | I – V – I | | I – IV – V | | IV – V – I |

Jetzt in anderer Reihenfolge. Schreibe sie in die Kästchen.

b **I – IV – V – I** ist eine einfache Kadenz. Du hörst sie immer einmal richtig und einmal falsch gespielt.
Kreuze bei den falschen denjenigen Dreiklang an, der verändert wurde.

Richtig: I – IV – V – I   I – IV – V – I   I – IV – V – I   I – IV – V – I

Falsch: ○ ○ ○ ○ ○ ○ ○ ○ ○ ○ ○ ○ ○ ○ ○ ○

Aufgabe 6 **Guidelines**

Eine Begleitmelodie zu einem Song muss nicht kompliziert sein. „Guidelines" sind Melodien mit langen Noten
ohne große Sprünge. In Kapitel 1, Seite 8 hast du schon welche kennengelernt. Die folgenden Guidelines zu
Leaving on a Jet Plane könnt ihr mit Instrumenten zum Lied spielen oder auf „uh" oder „ah" singen.

Strophe

Refrain

Kapitel 5: Schlüssel zum Erfolg

Inhalte
- Bassschlüssel ▪ Kehlkopf/Stimmbruch
- Thomanerchor ▪ Musikvideos
- Diebstahl in der Musik ▪ Coverversionen

Teste dich selbst
BASISWISSEN AUFGEFRISCHT

Notensystem – Schlüssel

1 Streiche alle Zeichen durch, die <u>keine</u> Notenschlüssel sind:

2 Schreibe die Notenreihe weiter (immer abwechselnd eine auf die Linie, eine in den Zwischenraum). Achte auf die Größe der Notenköpfe.

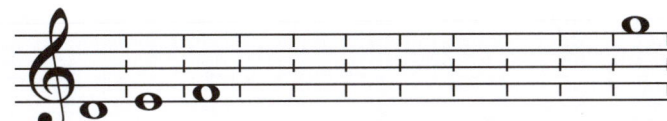

3 Schreibe dieselbe Notenreihe noch einmal auf, aber diesmal mit ausgefüllten Notenköpfen und Hälsen. Achte auf die richtige Richtung der Hälse.

4 Der Violinschlüssel zeigt an, wo der Ton *g* liegt. Umkreise alle *g* in den Noten.

5 Der Bassschlüssel zeigt an, wo der Ton *f* liegt. Umkreise alle *f* in den Noten.

6 Im Chor gibt es meistens vier Stimmlagen: hohe und tiefe Frauenstimmen und hohe und tiefe Männerstimmen. Schreibe die Bezeichnungen dafür in die Kästchen.

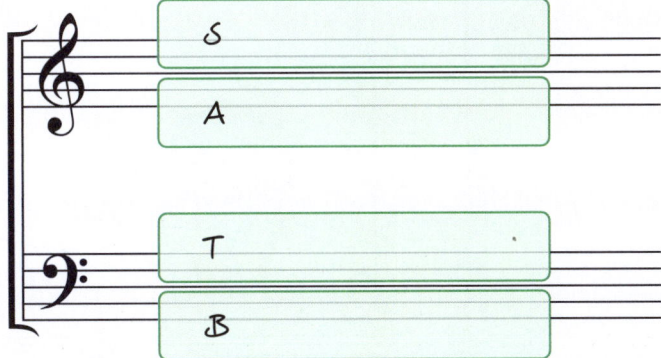

Alles nur geklaut

Interpreten: Die Prinzen
T. u. M.: Tobias Künzel
© Lakeworth/SMPG/BMG

1. Ich schrei-be ei - nen Hit, die gan-ze Na-ti-on kennt ihn schon, al - le sin-gen mit,

ganz laut im Chor, das geht ins Ohr. Kei - ner kriegt da - von ge - nug,

al - le hal-ten mich für klug, hof-fent - lich merkt kei - ner den Be-trug.

Ref.: Denn das ist al - les nur ge - klaut, das ist al - les gar nicht mei - ne,

das ist al - les nur ge - klaut, doch das weiß ich nur ganz al - lei - ne.

Das ist al - les nur ge - klaut und ge - stoh - len, nur ge - zo - gen und ge - raubt. Ent -

schul - di - gung, das hab ich mir er - laubt. (Ent-schul - di - gung, das hab ich mir er - laubt.)

Aufgabe 1 Schlüssel

Der Song **Alles nur geklaut** ist im Liederbuch im Violin-
oder Sopranschlüssel aufgeschrieben.
Die Gruppe „Die Prinzen", von denen der Titel stammt,
sind aber alle Männer. In den Noten von Jens Sembdner,
der bei den „Prinzen" Bass singt, steht die Melodie
deshalb im Bassschlüssel. Für einen Bass ist das eine
bequeme Mittellage, deshalb stehen die Noten auch
mitten in den Notenlinien und nicht so tief wie im
Violinschlüssel.
Schreibe die Takte 24 bis 28 Zählzeit 1 (ohne Text)
aus dem Refrain des Liedes für Bass um:

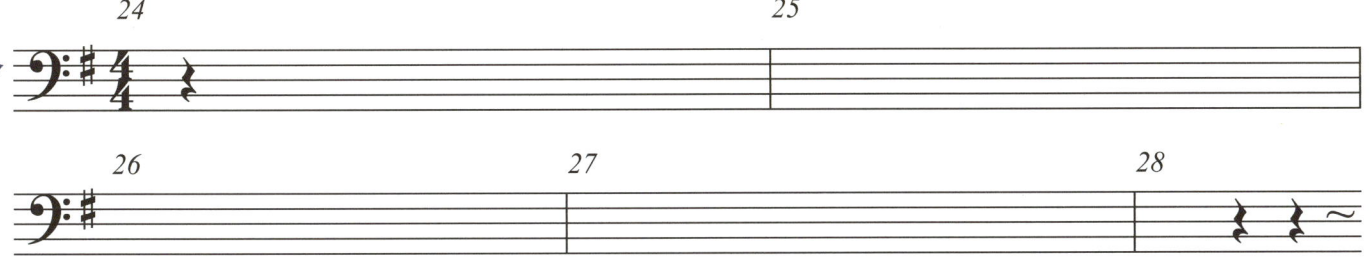

Im Bassschlüssel steht das *f* auf dieser Linie.

Stimmbruch

Die Stimmen von Jungen und Mädchen vor der Pubertät
sind ziemlich gleich hoch. Während der Pubertät wächst
auch der Kehlkopf, bei Mädchen nur ein wenig, bei Jungen
wesentlich stärker. Deshalb wird die männliche Stimme
auch deutlich tiefer und deshalb „kiekst" die Jungenstimme
auch eher während dieser Phase. Musiker sprechen meist
vom Stimmwechsel.

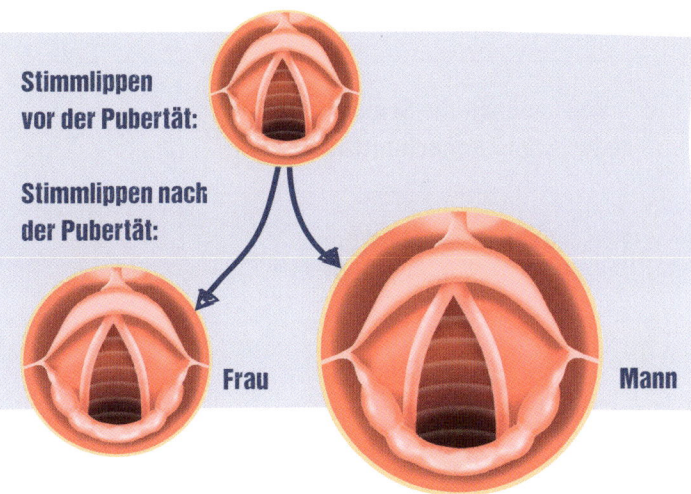

Aufgabe 2 Stimmumfang

a Ergänze unten die Tonnamen der Noten (das *c'* ist die „Gelenkstelle" zwischen Violin- und Bassschlüssel,
siehe auch S. 49 im Liederbuch).
b Ermittle mit einem Instrument deinen eigenen Stimmumfang (vom tiefsten bis zum höchsten Ton,
den du singen kannst) und markiere ihn farbig in den Noten.

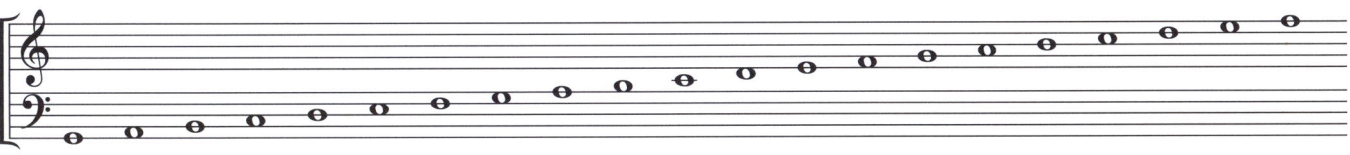

Aufgabe 3 Internetrecherche

Die meisten der Sänger von „Die Prinzen" sind ehemalige „Thomaner", also Schüler der Thomasschule und des Thomanerchors in Leipzig.

a Schau dir den Imagefilm des Thomanerchores Leipzig aus dem Jahr 2017 an und beantworte folgende Fragen:

■ Wie hieß der damalige Thomaskantor (= Chorleiter der Thomaner)?

_____

■ Wer war der berühmteste Thomaskantor (dessen Musik vom Chor am meisten gesungen wird)?

_____

b Vergleiche den Alltag eines Thomaners an der Thomasschule mit deinem eigenen:

	Thomasschule	Meine Schule
Seit wann gibt es die Schule?		
Was für Kleidung tragen die Schüler?		
Wie oft sind Chorproben?		
Was machen die Schüler jeden Samstagnachmittag?		
Was machen die Schüler am Ende eines Schuljahres?		
Wer darf nicht im Chor singen?		

Ohrzeit 5 Parodieverfahren im Barock

Viele Komponisten haben bei anderen oder bei sich selbst „geklaut". Das nennt man „Parodieverfahren".
Höre dir die beiden Beispiele von Antonio Vivaldi an.
Beschreibe, wie das zweite Beispiel gegenüber dem ersten verändert wurde:

Das Tempo ist _____ , die Tonlage ist _____ ,

statt Streichern hört man _____ . Im zweiten Teil des Beispiels hört man statt

drei Solo-Violinen _____ . Ab hier ist auch die _____

völlig anders. In beiden Beispielen hat sich Vivaldi aber Vogelgezwitscher vorgestellt.

Aufgabe 4 Video

Schaut euch das Video zu **Alles nur geklaut** an. Die offenbar zusammenhanglosen Szenen sind ebenfalls durchweg „geklaut", sie sind Zitate anderer bekannter Musikvideos. Schaut euch die Videos der Songs in den blauen Boxen an und ordnet sie den von den Prinzen nachgestellten Szenen zu:

Queen:
I Want to Break Free

Robert Palmer:
Addicted to Love

Peter Gabriel:
Sledgehammer

The Beloved:
Sweet Harmony

Genesis:
I Can't Dance

Aufgabe 5 Diebstahl in der Musik?

In dem Lied **Alles nur geklaut** geht es (mit ziemlich viel Ironie) darum, dass jemand einen Hit schreibt, der aber nur geklaut ist. Diskutiert in Kleingruppen die folgenden Fragen:

- In welcher Form kann Musik „geklaut" sein"?
- Wer hat davon einen Schaden und warum?
- Was stellt ihr euch unter „geistigem Eigentum" vor?

Aufgabe 6 Gruppenarbeit Musikvideo

Dreht einen eigenen Musikclip! Dazu genügt die Kamera eines Handys. Sucht euch einen Song aus, der euch gefällt, und entscheidet euch dann für eines der folgenden Verfahren:

- Ihr stellt das Originalvideo nach, mit Verkleidung, Requisiten etc.
- Ihr überlegt euch eigene Inhalte: eine Geschichte mit einer Handlung, Szenen oder Schauplätzen, die zum Text passen.
- Ihr setzt euch selbst in Szene, bewegt die Lippen zum Gesang, „spielt" Instrumente, denkt euch eine Choreografie aus, oder bewegt euch einfach nur cool.

Dazu läuft die Musik, am einfachsten von einem tragbaren Lautsprecher, und eine/r von euch filmt.
Natürlich ist die Musik dann auch „geklaut", deshalb dürft ihr euren Film nicht einfach öffentlich ins Netz stellen.
Aber im Freundeskreis zeigen ist kein Problem.

Coverversionen
Beim Covern wird ein bereits veröffentlichter Song von einem anderen Künstler musikalisch neu interpretiert. Text und Melodie bleiben meist gleich und sind erkennbar, Instrumente, Stimmklang, Stilistik u.ä. sind verändert. Es handelt sich also nicht um „Diebstahl", sondern eher um ein Zeichen von besonderem Respekt.

Aufgabe 7

APP

Ein Klassiker, der mehr als 300 Mal gecovert wurde, ist das Lied **Hallelujah** von Leonard Cohen (→ S. 290). Singt das Lied, hört euch dann verschiedene Versionen davon an und tragt Unterschiede in die untenstehende Tabelle ein.

Berühmte Coverversionen:

Interpret(en)	Besonderheiten
Jeff Buckley	
Alexandra Burke	
Rufus Wainwright	
Priester Father Ray Kelly	
Pentatonix	

Aufgabe 8   Internetrecherche

Das Lied **The Lion Sleeps Tonight** (→ S. 190) ist eines der eindrücklichsten Beispiele dafür, welche verschlungenen Wege eine musikalische Idee nehmen kann, und wie der Erfinder am Ende leer ausgehen kann.
Recherchiere an Hand der Leitfragen und stelle deine Ergebnisse auf einem Plakat oder in Form einer Mindmap oder Präsentation zusammen. Diskutiert darüber, wer in dieser Geschichte gerecht behandelt wurde und wer nicht.

Wer hat das Lied geschrieben?

Sprache und ursprünglicher Titel?

Wie wurde der Song erstmalig aufgenommen?

Wie änderte sich der Song durch den Sänger Pete Seeger?

The Lion Sleeps Tonight

Wie wurde der Song im Film „The Lion King" verwendet und warum kam es darüber zu einem Rechtsstreit?

Wie ging der Streit für die Nachkommen des Komponisten aus?

Abb. © rawpixel.com

Kapitel 6: In Grau gedreht – das Haus am See

Inhalte
- Rap
- Videoproduktion

Lied
- Haus am See (→ S. 226)

Haus am See (→ S. 226)

Teste dich selbst
BASISWISSEN AUFGEFRISCHT

Stammtöne – Versetzungszeichen – Ostinato

1 Es gibt sieben Stammtöne. Benenne sie.

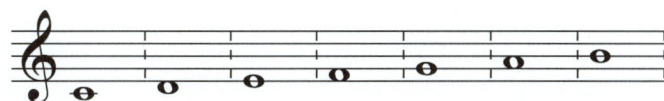

Danach beginnt die Reihenfolge wieder von vorne.
Ergänze die fehlenden Noten und Notennamen.

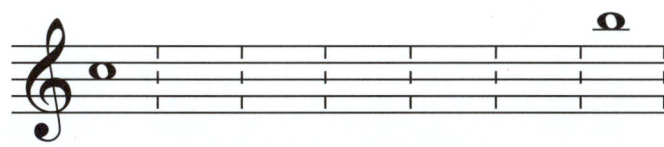

2 Mit Versetzungszeichen kann man sie höher oder tiefer machen, und zwar

mit einem ⬚ um einen ⬚ höher, mit einem ⬚ um einen ⬚ tiefer.

3 Schreibe die Namen unter die Töne.

4 Vorzeichen gelten für das ganze Stück. Sie bestimmen, in welcher Tonart es steht.
Schreibe vor alle Töne, für die ein B-Vorzeichen gilt, dieses noch einmal direkt davor
und schreibe die Tonnamen darunter.

5 Ein Ostinato ist ein Element, das sich wiederholt. Ein Ostinato kann z. B. sein:
a eine Melodie   **b** eine Akkordfolge   **c** ein Rhythmus

Untersuche die folgenden Lieder und ordne ihnen den richtigen Ostinato-Typ **a**, **b** oder **c** zu.

Haus am See (→ S. 226)   ⬚

Until It Is Done (Begleitung) (→ S. 43)   ⬚

Jingle Bells (→ S. 339)   ⬚

Interpret: Peter Fox
T.: Pierre Baigorry/David Conen
© Text: Fixx & Foxy/BMG/Hanseatic

Haus am See

Strophe 1

| D | Am7 | D | Am7 |

1 Hier bin ich gebor'n und laufe durch die Straßen,
kenn' die Gesichter, jedes Haus und jeden Laden.
Ich muss mal weg, kenn' jede Taube hier beim Namen.
Daumen raus, ich warte auf 'ne schicke Frau mit
   schnellem Wagen.

5 Die Sonne blendet, alles fliegt vorbei,
und die Welt hinter mir wird langsam klein.
Doch die Welt vor mir ist für mich gemacht, (hm),

| H | Fism | H | Fism |

ich weiß sie wartet und ich hol' sie ab. Ich hab' den

| D | Am7 | D | Am7 |

Tag auf meiner Seite, ich hab' Rückenwind,

10 ein Frauenchor am Straßenrand, der für mich singt,
ich lehne mich zurück und kuck' ins tiefe Blau,
schließ' die Augen und lauf' einfach g'radeaus.

Refrain

| D | Am7 | D | Am7 |

13 Und am Ende der Straße steht ein Haus am See,
Orangenbaumblätter liegen auf dem Weg.
Ich hab' zwanzig Kinder, meine Frau ist schön.
Alle komm'n vorbei, ich brauch' nie rauszugehen.

| D | Am7 | D | Am7 |

Im Traum geseh'n:

| H | Fism | H | Fism |

Das Haus am See.

Strophe 2

| D | Am7 | D | Am7 |

Ich suche neues Land mit unbekannten Straßen,
fremde Gesichter, keiner kennt mein'n Namen.
Alles gewinnen beim Spiel mit gezinkten Karten.
Alles verlier'n,
   Gott hat einen harten linken Haken.
Ich grabe Schätze aus im Schnee und Sand,
und Frauen rauben mir jeden Verstand.
Doch irgendwann werd' ich vom Glück verfolgt, (hm),

| H | Fism | H | Fism |

und komm' zurück mit beiden Taschen voll Gold.

| D | Am7 | D | Am7 |

Ich lad' die alten Vögel und Verwandten ein.
Und alle fang'n vor Freude an zu wein'n.
Wir grill'n, die Mamas kochen und wir saufen Schnaps,
und feiern eine Woche jede Nacht.

Refrain (2x)

Und der Mond scheint hell auf mein Haus am See,
Orangenbaumblätter …

Strophe 3

Hier bin ich gebor'n, hier werd' ich begraben,
hab' taube Ohr'n, 'nen weißen Bart und sitz' im Garten.
Meine hundert Enkel spielen Cricket auf'm Rasen –
wenn ich so daran denke, kann ich's eigentlich kaum
   erwarten.

Aufgabe 1   Internetrecherche

Informiere dich über Peter Fox und sein Album „Stadtaffe", aus dem das Lied Haus am See stammt.
Leitfragen:

- Um welche Stadt geht es in fast allen Liedern des Albums?
- Welche Beziehung hat Peter Fox zu dieser Stadt, in der er geboren ist und lebt? Berücksichtige auch die Aussagen des Texts von Haus am See.
- Welche Instrumente / Ensembles haben an dem Album mitgewirkt?
- Texte und verschiedene Teile der Musik wurden zu unterschiedlichen Zeiten und an verschiedenen Orten eingespielt. Beschreibe dieses Verfahren.

Aufgabe 2

Peter Fox' Interpretation des Lieds ist irgendwo zwischen Gesang und Rap angesiedelt.
Teilweise ist es eher ein Sprechgesang, Tonhöhen und Rhythmus im Notentext sind nur eine Annäherung.

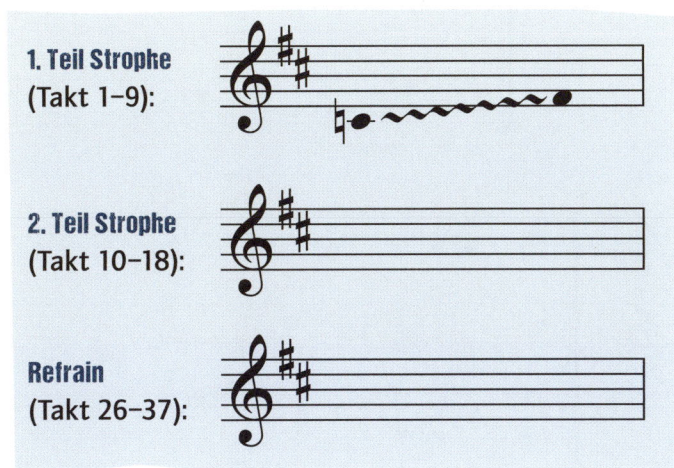

a Schlage die Noten im Liederbuch auf (➝ S. 226).
Höre dir an, wie die Melodie klingen würde,
wenn man genau den Noten folgen würde, und
beschreibe den Unterschied zum Original.

b Schau dir die Noten im Liederbuch an und notiere
den Tonumfang (also tiefster bis höchster Ton)
der nebenstehenden Abschnitte.

Welche Entwicklung ist zu erkennen?

c Wie oft bei Rap-Texten sind die Zeilenenden keine eigentlichen Reime (wie z. B. Haus – Maus),
sondern es stimmen v. a. die Vokale überein (wie z. B. Namen – Wagen).
Trage das jeweils letzte Wort am Zeilenende der ersten 16 Zeilen in die Tabelle ein.
Markiere die Stellen, wo sich vier aufeinanderfolgende Zeilen „reimen".

Zeile	Wort	Zeile	Wort
1		9	
2		10	
3		11	
4		12	
5		13	
6		14	
7		15	
8		16	

Haus am See (Begleitsatz)

T.: Pierre Baigorry/David Conen
M.: Baigorry/Conen/Schlippenbach/Renner
Arr.: Joachim Fischer
© Fixx & Foxy/BMG/Hanseatic

Form: Intro (2x) — Strophe 1 — Refrain — Intro — Strophe 2 — Refrain (2x)

Intro — Strophe 3 (bis fine)

Ohrzeit 🎵 Ostinato

Der erste Zweitakter im Spielsatz zum **Haus am See** ist ein Ostinato, das im Verlauf des Liedes ungefähr 50 Mal wiederholt wird. Das Hörbeispiel enthält ein ähnliches Ostinato, das auch immer zwischen zwei Akkorden hin- und herpendelt:

a Höre das gesamte Hörbeispiel und zähle mit: Wie oft kommt der rhythmische Zweitakter vor? _____

b Was passiert immer, nachdem das Ostinato 10x wiederholt wurde?

_____

c Schreibe das Ostinato einen Halbton höher auf. Achte darauf, dass die Noten im Bassschlüssel stehen, und welche Versetzungszeichen du brauchst.

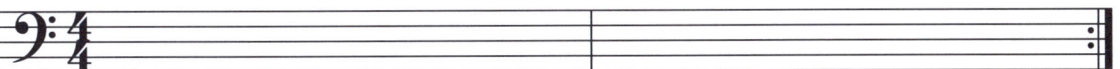

Aufgabe 3 Platten-Cover

Wie stellst du dir ein schönes Leben vor? Wie würde dein schönes Haus am See aussehen?

a Stelle in einer Tabelle mit Stichworten deine Vorstellungen von einem schönen Haus denen von Peter Fox, wie er sie im Songtext schildert, gegenüber.

Meine Vorstellung	Peter Fox' Vorstellung

b Entwerfe ein Cover für das Haus am See, das deinen eigenen Vorstellungen entspricht (zeichne selbst oder suche ein Bild im Netz). Suche dann das Cover von Peter Fox' Haus am See und vergleiche beide Bilder.

Aufgabe 4 Song-Cover

Der Schlagersänger Heino veröffentlichte 2013 ein Album mit Coverversionen verschiedener Pop- und Rock-Songs. Er nannte es „Mit freundlichen Grüßen" (an die Original-Interpreten).
Als Untertitel wählte er „Das verbotene Album", da er die anderen Künstler nicht um ihr Einverständnis gebeten hatte (was er auch nicht musste).
Hört euch Heinos Fassung von Haus am See an. Beschreibt Unterschiede, diskutiert, ob ihr die Fassung für gelungen haltet und ob es illegal sein sollte, ungefragt Covers zu veröffentlichen.

Aufgabe 5 Video

Schaut euch das offizielle Video zu Peter Fox' Haus am See an (keinen Live-Mitschnitt eines Konzerts). Sammelt Hinweise, woran man sieht, dass das, was wir hören, nicht das ist, was wir sehen.

Videoproduktion

Bei der Produktion eines Musikvideos werden die Filmbilder fast immer mit einer Studio-Aufnahme der Musik unterlegt. Gründe dafür sind die besseren Aufnahmebedingungen und das Fehlen von Nebengeräuschen im Studio und eine größere Freiheit beim Filmschnitt.

Kapitel 7: Drei Klänge für ein Halleluja

Inhalte
- Call and response ▪ Spiritual und Gospel ▪ Dreiklangsumkehrungen ▪ dreistimmiger Satz ▪ Improvisation

Lieder
- Oh, Happy Day (➞ S. 288) ▪ Swing Low, Sweet Chariot (➞ S. 304) ▪ Barbara Ann (➞ S. 158) ▪ Go Down, Moses (➞ S. 307) ▪ Oh, When the Saints (➞ S. 303)

Teste dich selbst
BASISWISSEN AUFGEFRISCHT

Dreiklang und Intervalle

1 Ziehe alle Dreiklänge mit einem Farbstift nach. Streiche durch, was kein Dreiklang in Grundstellung ist.

2 Ergänze die Terztöne.

3 Ergänze überall den Ton *f*, sodass sich ein Dreiklang in Grundstellung ergibt.

4 Schreibe folgende Dreiklänge in Grundstellung.

D   Dm   A   Am   C   Cm

5 Bestimme das erste Intervall der folgenden Lieder und finde jeweils ein weiteres Lied, das mit demselben Intervall beginnt.

Auld Lang Syne	Intervall:
Oh, when the Saints	Intervall:
My Bonnie is over the Ocean	Intervall:

6 Schreibe zu jedem Ton einen zweiten <u>darüber</u>, der im Abstand des genannten Intervalls steht.

7 Schreibe zu jedem Ton einen zweiten <u>darunter</u>, der im Abstand des genannten Intervalls steht.

Quinte   Sekunde   Septime   Oktave

Quinte   Terz   Quarte   Sexte

Oh, Happy Day

Interpret: Edwin Hawkins Singers
T. u. M.: Trad. (Spiritual)
Satz: Lorenz Maierhofer

A Joyfully

Oh, hap-py day. Oh, hap-py day. Oh, hap-py day. Oh, hap-py day.

When Je-sus wash - ed, oh, when he wash - ed, when Je - sus washed, when Je-sus washed,

when Je-sus wash - ed, he washed my sins a - way. oh, hap-py day. when Je - sus washed, oh, hap-py day.

Oh, hap-py day. Oh, hap-py day. **1.** G **2.** G hap-py day! **B** D7 He taught me how Oh, hap-py day! He taught me how

to watch, fight and pray, fight and pray, to watch, fight and pray, fight and pray, Oh, yes, I fight and pray.

and live re-joic - ing ev - 'ry, ev - 'ry day, ev - 'ry day. and live re-joic - ing ev - 'ry, ev - 'ry day, ev - 'ry day.

Oh, hap-py day. **Ending** C/G rit. Oh, hap-py day! Oh, what a hap-py day! Oh, hap-py day!

Aufgabe 1

Schau dir den Anfang des Lieds an, wie es im Liederbuch abgedruckt ist. Offenbar gibt es zwei verschiedene Stimmen. (Hier im Heft wurden sie zur besseren Lesbarkeit in zwei Notensysteme notiert.)

a Beschreibe, woran man das in den Noten erkennt:

_____

_____

b Umkreise im Notenbeispiel die Noten der einen Stimme mit einer Farbe, die der anderen mit einer zweiten Farbe.

c Schau dir ein Video an, bei dem du sehen kannst, wer gerade singt. Beschrifte dann das Notenbeispiel mit den Begriffen „Solist(in)" und „Chor".

Call and response

Bei vielen Gospelaufführungen tragen die Sängerinnen und Sänger sogenannte Roben, wie sie für Chöre in amerikanischen Gospel-Kirchen üblich sind (vgl. z.B. die Bilder im Liederbuch S.307 und 309 oder auf S.44 in diesem Heft). Sie demonstrieren damit, auch wenn sie in einem Konzertsaal auftreten, die religiöse Herkunft der Gospels und Spirituals. Der Wechsel zwischen Vorsänger/-in und Chor wird **Call and response** (Ruf und Antwort) genannt. Wird in der Kirche gesungen, findet der Wechsel oft zwischen Pfarrer/-in und Gemeinde statt.

Aufgabe 2

Singt das Spiritual **Swing Low, Sweet Chariot** (➡ S.304). Singt es im Wechsel zwischen einem Solisten/einer Solistin (call) und einer großen Gruppe (response), die immer mit „Comin' for to carry me home" antwortet.

Aufgabe 3   Spiritual und Gospel

a Lies dir den Text über „Spiritual und Gospel" auf S.307 im Liederbuch durch und fülle dann den Lückentext aus.

Spirituals und Gospels sind Formen _____ Musik, die in _____

entstanden sind. In ihnen vermischen sich Elemente _____ mit

_____ Traditionen. Wurden sie ursprünglich als _____ nach Amerika

verschleppt, ist die Situation vieler Schwarzer auch heute noch von _____ geprägt.

Vielen Spirituals und Gospels liegen Texte des Alten Testaments zugrunde, die auch als Ausdruck ihres

_____ gedeutet werden können. Musikalisch haben Gospels und Spirituals die

Entwicklung von _____ , _____ und _____ stark beeinflusst.

 **Aufgabe 4**

a Setzt euch zu dritt im Kreis und spielt das bekannte Kinderspiel, bei dem ihr reihum
eure rechte Hand auf die des Vorgängers legt. Liegen drei Hände übereinander,
wird die unterste Hand weggezogen und oben aufgelegt. Allerdings legt
ihr die Hände nicht auf einen Tisch ab, sondern lasst sie immer auf
gleicher Höhe, sodass der Dreierturm sich allmählich immer weiter
nach oben bewegt.

b Mache jetzt dasselbe mit den drei Tönen eines Dreiklangs.
Beachte dabei, dass die Töne ihre Namen behalten und immer
um eine Oktave versetzt werden. Ergänze die fehlenden Noten.

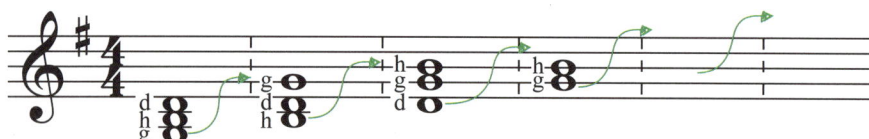

Bei jedem Versetzen ändert sich der Aufbau des Dreiklangs.

Umkehrungen

Sind die Töne eines Dreiklangs nicht in der Grundstellung, also als Terzen
geschichtet, spricht man von Umkehrungen:

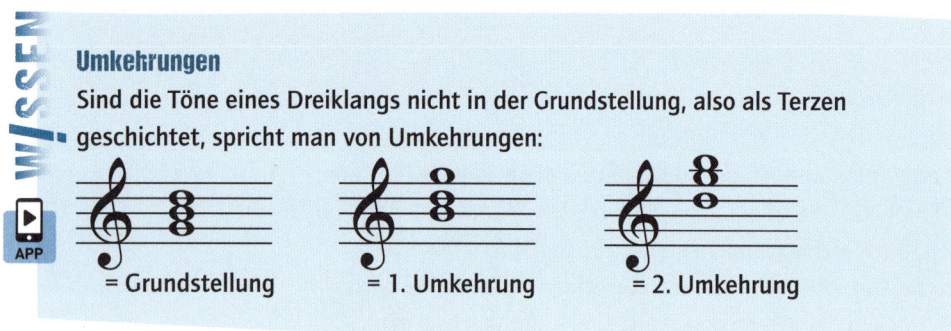

= Grundstellung   = 1. Umkehrung   = 2. Umkehrung

Aufgabe 5

a Gegeben ist jeweils der unterste Ton. Schreibe die angegebenen Dreiklangsformen auf
(**GS** = Grundstellung, **1. UK** = 1. Umkehrung, **2. UK** = 2. Umkehrung).

GS   1. UK   2. UK   1. UK   2. UK   1. UK   GS   1. UK   2. UK

b Die Melodie von **Barbara Ann** (➝ S. 158) wird von einem dreistimmigen Chor begleitet.
Bestimme die Dreiklangsformen und kreuze an:

Takte	Grundstellung	1. Umkehrung	2. Umkehrung
5/6			
7/8			
9/10			
11			
13/14			

 c Höre dir eine Aufnahme von den Beach Boys an und versuche, eine der Begleitstimmen mitzusingen.

Aufgabe 6

In dem Lied **Oh, Happy Day** ist die **response** des Chors nach dem **call** in den Noten so angegeben:

a Der Chor singt allerdings meistens mehrstimmig. Ergänze die fehlenden Töne in der Wissensbox.

Dreistimmiger Satz

Eine Melodie dreistimmig zu setzen, ist nicht schwer, wenn man zwei einfache Regeln befolgt:

1. Die drei Stimmen teilen sich die Noten des Dreiklangs auf, der an dieser Stelle klingt.
2. Die Stimmen machen keine großen Sprünge, sondern gehen den kürzesten Weg zum nächsten Akkordton.

Das Akkordsymbol ist **G**, es klingen also die Töne *g*, *h* und *d*.
Der Ton *d* steht schon da, die restlichen beiden Töne werden darübergeschrieben.

Das Akkordsymbol ist **C**, es klingen also die Töne *c*, *e* und *g*.
Der Ton *e* steht schon da, die restlichen beiden Töne werden darübergeschrieben.

Als mittlere Stimme ergibt sich:

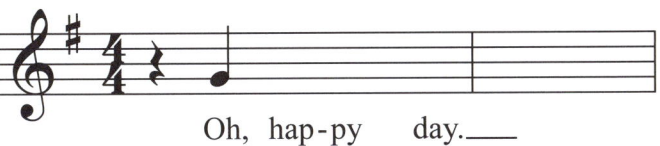

Als obere Stimme ergibt sich:

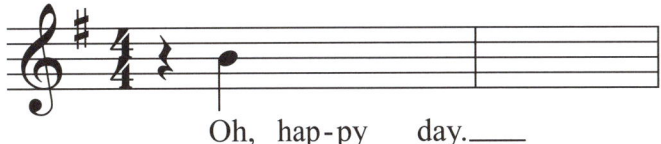

b Singt das Lied im Wechsel von Solo (oder Kleingruppe) und Chor. Immer, wenn der Text „Oh, happy day" lautet, singt der Chor die oben geschriebenen drei Stimmen.

APP

Ohrzeit 7 Dreiklangsumkehrungen

Merkhilfe für die **Grundstellung (GS)**: Anfang von **Morning has broken** (➡ S. 242)
Merkhilfe für die **1. Umkehrung (1. UK)**: Anfang 2. Zeile von **Calypso** (➡ S. 29)
Merkhilfe für die **2. Umkehrung (2. UK)**: Betonte Noten von **Aber bitte mit Sahne** (➡ S. 234)

a Höre zunächst nur die Dreiklänge und singe im Kopf die Merkhilfen dazu.

b Mache dann (mit den Merkhilfen) den Test, ob du die Umkehrungen erkennst.
Mache den Test so oft, bis du keine Fehler mehr machst, und fülle dann die Kästchen aus.

GS ☐ ☐ ☐ ☐ ☐

Aufgabe 7

Erfahrene Gospel-Chöre singen mehrstimmige **responses** in der Regel ohne sie aufzuschreiben. Singt Go down, Moses (→ S. 307) und probiert bei den Textstellen „Let my people go" so lange andere Noten aus, bis ihr hörend welche gefunden habt, die passen. Dasselbe könnt ihr mit den **responses** in der ersten Zeile von Oh, When the Saints (→ S. 303) machen.

Aufgabe 8

Schaut euch die „Oh, Happy Day"-Version aus dem Film „Sister Act 2" an. Der Junge, der Solo singt, geht von der ursprünglichen Melodie und dem Text aus, variiert diese aber im Verlauf des Liedes immer stärker. Dieses Verfahren, das bei Gospels und im Jazz regelmäßig eingesetzt wird, nennt sich **Improvisation**.

Singt den A-Teil des Lieds mit Playback. Reihum singt immer eine Solo-Stimme den **call**, die anderen antworten als Chor mit der **response**. Die Solostimme experimentiert dabei mit den drei Text-Bausteinen „Oh, happy day", „when Jesus washed" und „he washed my sins away". Versucht, euch von der Vorlage zu lösen und eigene Melodien zu erfinden. Stört euch nicht an schrägen Tönen, lacht niemanden aus, es gibt kein richtig und falsch, Übung macht den Meister (und die Meisterin)!

Gospel-Chor mit typischen Roben

Improvisation
Beim Improvisieren wird nach bestimmten Vorgaben und Absprachen aus dem Stegreif gesungen oder gespielt.

Aufgabe 9

Untersucht die Bewegungen des Chors in dem „Sister Act"-Ausschnitt und versucht, sie beim Singen zu imitieren. Achtet darauf, dass die Fußbewegungen im A-Teil kleiner sind, die Fußballen bleiben im Grunde am Platz und drehen sich nur leicht (das ist praktisch, wenn nicht viel Platz auf der Bühne ist). Achtet auch darauf, dass ihr im B-Teil auf die Zählzeiten 2 und 4 klatscht.

Zählzeit 1	2	3	4

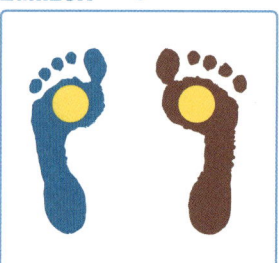 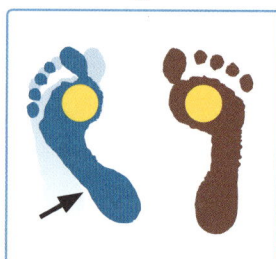 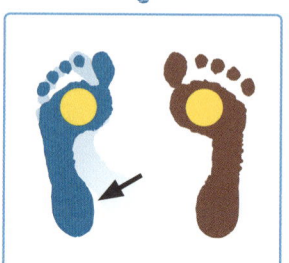 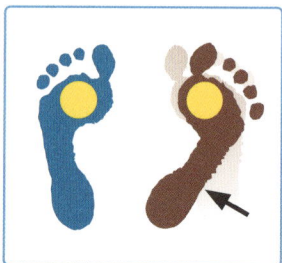

🟡 = Drehpunkt (bleibt immer am selben Fleck)

Kapitel 8: Fine-tuning

Inhalte
- Motive
- Latin Percussion
- Intervalle (große und kleine)
- Choreografie
- Weihnachten

Lieder

Teste dich selbst
BASISWISSEN AUFGEFRISCHT

Latin Percussion – Motive

1 Finde neun Percussion-Instrumente im Suchgitter und verbinde sie mit einer Linie mit dem jeweiligen Bild.

Z	N	A	R	K	N	E	L	L	E	H	C	S
E	S	E	L	L	E	B	W	O	C	S	A	A
H	A	N	D	T	R	O	M	M	E	L	B	C
A	G	N	A	T	A	N	R	U	Z	R	A	A
R	N	E	G	I	E	G	R	A	T	I	S	R
F	O	P	I	A	N	O	R	I	U	G	A	A
E	C	L	A	V	E	S	S	O	B	M	A	M

2 Schraffiere jeden einzelnen der acht Takte des Refrains von **What Shall We Do** mit Buntstiften. Schau genau hin und verwende dieselbe Farbe für Takte, die genau gleich sind, ähnliche Farben für ähnliche Takte und unterschiedliche Farben für unterschiedliche Takte.

Markiere die beiden gleichen Takte mit einem W (= Wiederholung) und den Takt, der ganz anders ist, mit einem K (= Kontrast).

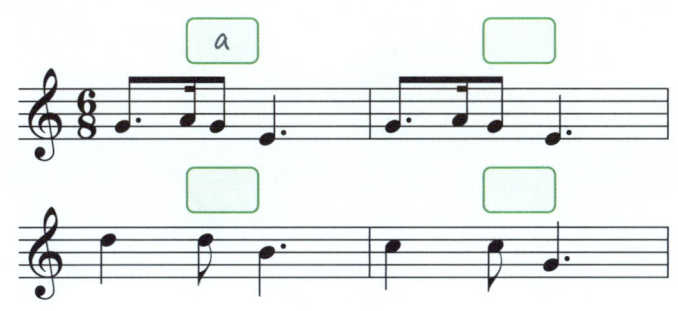

3 Beschrifte die Motive der vier Takte von **Stille Nacht** mit Buchstaben:
gleiches Motiv = gleicher Buchstabe
ähnliches Motiv = gleicher Buchstabe mit Strich'
anderes Motiv = nächster Buchstabe

APP

Feliz Navidad

T. u. M.: José Feliciano
© J. & H. Publ./Chrysalis

[Musical notation]

A G / C / D / G

Fe-liz Na-vi-dad, (Fe-liz Na-vi-dad,) Fe-liz Na-vi-dad, (Fe-liz Na-vi-
(flüstern oder klatschen) *(flüstern oder klatschen)*

Em / C / D / G C/G

dad,) Fe-liz Na-vi-dad, prós-pe-ro a - ño y fe-li - ci-dad.___ (Fe-li - ci-dad..
(flüstern oder klatschen)

1. G | 2. G | **B** C

___) Fe-liz Na-vi- ___) I wan-na wish you a Mer - ry Christ - mas,___

D / G / Em

I wan-na wish you a Mer - ry Christ - mas,___ I wan-na wish you a

C (Am) / D / G

Mer - ry Christ - mas, from the bot-tom___ of my heart._____

Aufgabe 1 Motive

a Ergänze die fehlenden Noten in den blauen Kästchen.

1 Fe - liz Na - vi - dad,

2 Fe - liz Na - vi - dad,

3 Fe - liz Na - vi - dad,

4 prós-pe - ro a - ño y fe - li - ci - dad.___

5 I wan - na wish you a Mer - ry Christ - mas,___

6 I wan - na wish you a Mer - ry Christ - mas,___

7 I wan - na wish you a Mer - ry Christ - mas,

8 from the bot - tom__ of my heart.___

b Vergleiche die Zeilen miteinander. Achte auf Text, Rhythmus und auf die Tonhöhen. Schreibe Motivbuchstaben in die grünen Kästchen: gleiche Buchstaben für genaue Übereinstimmung, Buchstaben mit Strich (z. B. *a'*) für ähnliche Motive, und den nächsten Buchstaben im Alphabet, wenn etwas ganz Neues kommt.

c Im Liederbuch stehen im A-Teil des Lieds Vorschläge für eine motivische „Antwort".

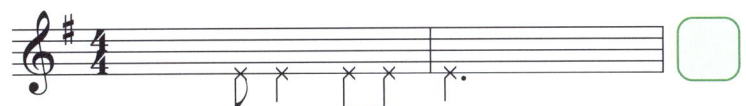

■ Welchen Motivbuchstaben müssten diese Einwürfe bekommen?
■ Findet nacheinander durch Ausprobieren eine passende Melodie für diese Stellen.
Wenn ihr etwas gefunden habt, was euch gefällt, singt Melodie und Einwürfe
in zwei Gruppen, oder mit einem „Vorsänger", dem dann alle antworten
(Call and response).

Aufgabe 2

Singt das Lied **Now Is Singing Season** (➔ S. 20).

a Untersucht die acht Zweitakter, aus denen das Lied besteht.
  Welche sind gleich (**Wiederholung**), welche sind ähnlich (**Variation**), welche sind anders (**Kontrast**)?

b Versucht den motivischen Ablauf mit acht Mitschülerinnen oder Mitschülern in einer Reihe darzustellen, z. B.

> **Wiederholung**
> zwei mit möglichst gleicher Kleidung

> **Kontrast**
> Junge/Mädchen, andere Haarfarbe, Kleidung ...

> **Variation**
> Geschwister, die sich ähnlich sehen

Wenn alle das Lied gut kennen, versucht, dass nacheinander jede und jeder die eigene Zeile singt.

Ohrzeit 8 Latin Percussion

APP

Höre die Latin-Percussion-Instrumente und trage die Namen der Reihe nach in die Kästchen ein:

1	2	3	4
5	6	7	8

9 **alle zusammen**

Aufgabe 3   Intervalle

Ein Intervall ist der Abstand von einem Ton zum nächsten. Eine Prime ist eine Tonwiederholung, eine Sekunde ist ein Schritt, alles, was größer ist, ist ein Sprung.

a Untersuche im A-Teil (den ersten zwei Notenzeilen) von **Feliz Navidad**, aus welchen vier verschiedenen Intervallen die Melodie besteht, und fülle dann den Lückentext aus.

> Die Melodie von **Feliz Navidad** beginnt mit einem _____-Sprung als Ohröffner, der _____ Takte
>
> später noch einmal _____ wird. Ansonsten kommen im A-Teil nur _____ Intervalle vor,
>
> vor allem _____, also _____ Bewegung, und _____.
>
> Kleine Intervalle sind leichter zu _____, daher gibt es auch in den meisten Kinderliedern kaum
>
> große _____.

b Untersuche die Melodie von **The Little Drummer Boy** (➔ S. 336), und beschreibe, aus welchen Intervallen sie besteht.

_____

_____

c Untersuche zum Vergleich die ersten zwei Zeilen von **Somewhere Over the Rainbow** (➔ S. 177).
  Auch hier endet die zweite Zeile mit lauter Sekunden und Terzen, in den ersten fünf Takten gibt es allerdings auch noch folgende Intervalle:

_____

Aufgabe 4 Sekunden

Große und kleine Terzen hast du in Heft 1 schon kennengelernt. Auch andere Intervalle gibt es in zwei Größen.
Im folgenden Ausschnitt kommen drei Sekundschritte vor (die grünen Haken):

Du erkennst sie daran, dass die Töne auf den Notenlinien
direkt nebeneinanderliegen. Schau dir die Töne jetzt noch
einmal auf der Klaviatur an. Auch hier liegen sie neben-
einander. Durch die unterschiedliche Lage der schwarzen
Tasten, die auch mitgezählt werden, wird deutlich:
Manche Sekunden sind einen **Halbtonschritt**
voneinander entfernt, manche sind einen **Ganztonschritt**
(=zwei Halbtonschritte) voneinander entfernt.
Markiere sie jeweils mit **HT** oder **GT**.

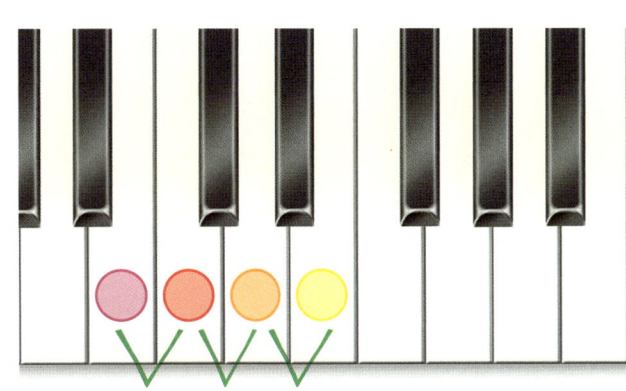

Halbtonschritt = kleine Sekunde
Ganztonschritt = große Sekunde
Bestimme in gleicher Weise die Sekundschritte in den folgenden Ausschnitten.
Achte dabei auch auf Vorzeichen und Versetzungszeichen.

Ohrzeit 8.2 Intervalle 1

Du hörst immer zwei Sekunden hintereinander, mal groß, mal klein. Bestimme sie, entscheide, ob sie
aufwärts oder abwärts gespielt wurden, und schreibe sie abgekürzt auf (z. B. kleine Sekunde abwärts = **k2↓**).

a	b	c	d
e	f	g	h

Aufgabe 5 Choreografie

Erarbeitet eine Choreografie und tanzt sie zu einer Aufnahme von Feliz Navidad. Orientiert euch an den unten beschriebenen einfachen Grundschritten. Nutzt auch Ideen von Mitschülerinnen und Mitschülern, die vielleicht in einer Tanz- oder Fitness-Gruppe sind. Alle stehen mit Blick in die gleiche Richtung im Raum. Jedes Pattern umfasst zwei Takte und lässt sich leicht erweitern oder abwandeln.

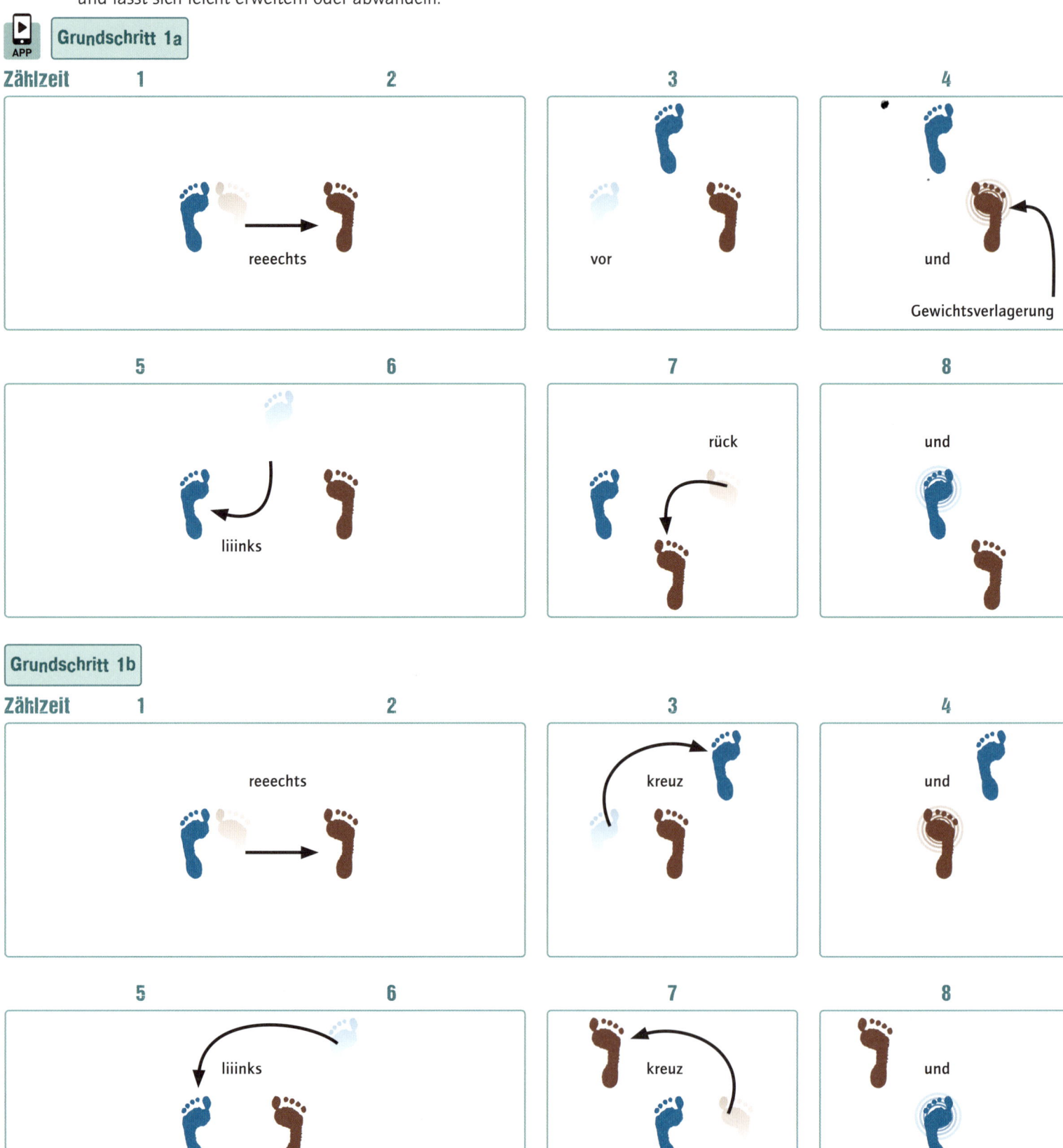

APP

Grundschritt 2a

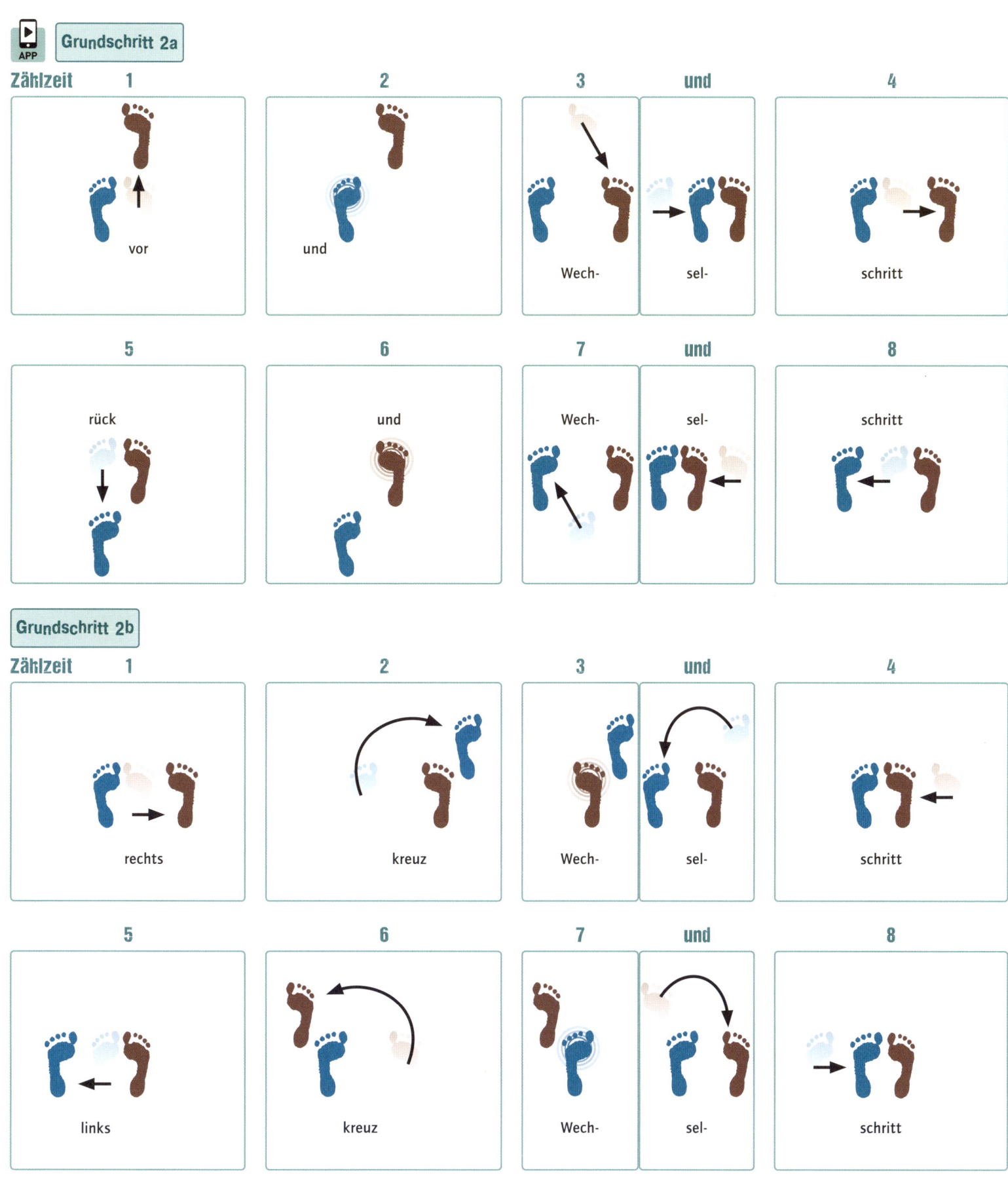

Zählzeit	1	2	3	und	4
	vor	und	Wech-	sel-	schritt

	5	6	7	und	8
	rück	und	Wech-	sel-	schritt

Grundschritt 2b

Zählzeit	1	2	3	und	4
	rechts	kreuz	Wech-	sel-	schritt

	5	6	7	und	8
	links	kreuz	Wech-	sel-	schritt

Aufgabe 6

Hier ist eine Übersicht über alle Intervalle. Am besten kann man sie sich anhand von Liedanfängen merken.
Schau dir die Vorschläge auf S. 349 im Liederbuch an, übernimm Lieder, die du kennst, in die folgende
Liste und/oder ergänze eigene Ideen.

Intervall	Wie viele Halbton-schritte Abstand?	Mein Merklied
Prim	0	
kleine Sekunde	1	
große Sekunde	2	
kleine Terz	3	
große Terz	4	
Quarte	5	
Tritonus	6	
Quinte	7	
kleine Sexte	8	
große Sexte	9	
kleine Septime	10	
große Septime	11	
Oktave	12	

Aufgabe 7 Intervalle

Bestimme die folgenden Intervalle und schreibe sie abgekürzt darunter (z. B. kleine Terz = k3).

k3

Ohrzeit 8·3 Intervalle 2

APP

Du hörst immer zwei Sexten oder zwei Terzen hintereinander, mal groß, mal klein.
Höre immer zwei Intervalle, bestimme sie und schreibe sie abgekürzt auf (z. B. kleine Terz = k3).

a

b

c

d

e

f

g

h

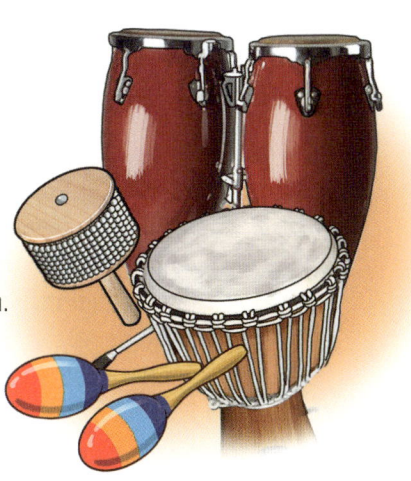

Aufgabe 8

Spielt den Begleitsatz zu **Feliz Navidad**.

- Verwendet eine beliebige Auswahl aus den angegebenen Percussion-Instrumenten. Wechselt gelegentlich ab, damit alle drankommen.
- Die Melodie- bzw. Harmonieinstrumente können beliebig besetzt werden.
- Bei der Bassstimme muss nur das *c* gegriffen werden, die anderen Töne sind leere Saiten.
- Die Begleitung beginnt dort, wo im Lied der Buchstabe [A] steht (auf die Silbe „-dad") und wiederholt sich immer nach acht Takten.
- Der letzte Takt ist ein **Break** (auf die Zählzeiten 2 bis 4 ist Pause).

Begleitsatz

M.: Joachim Fischer
© Helbling

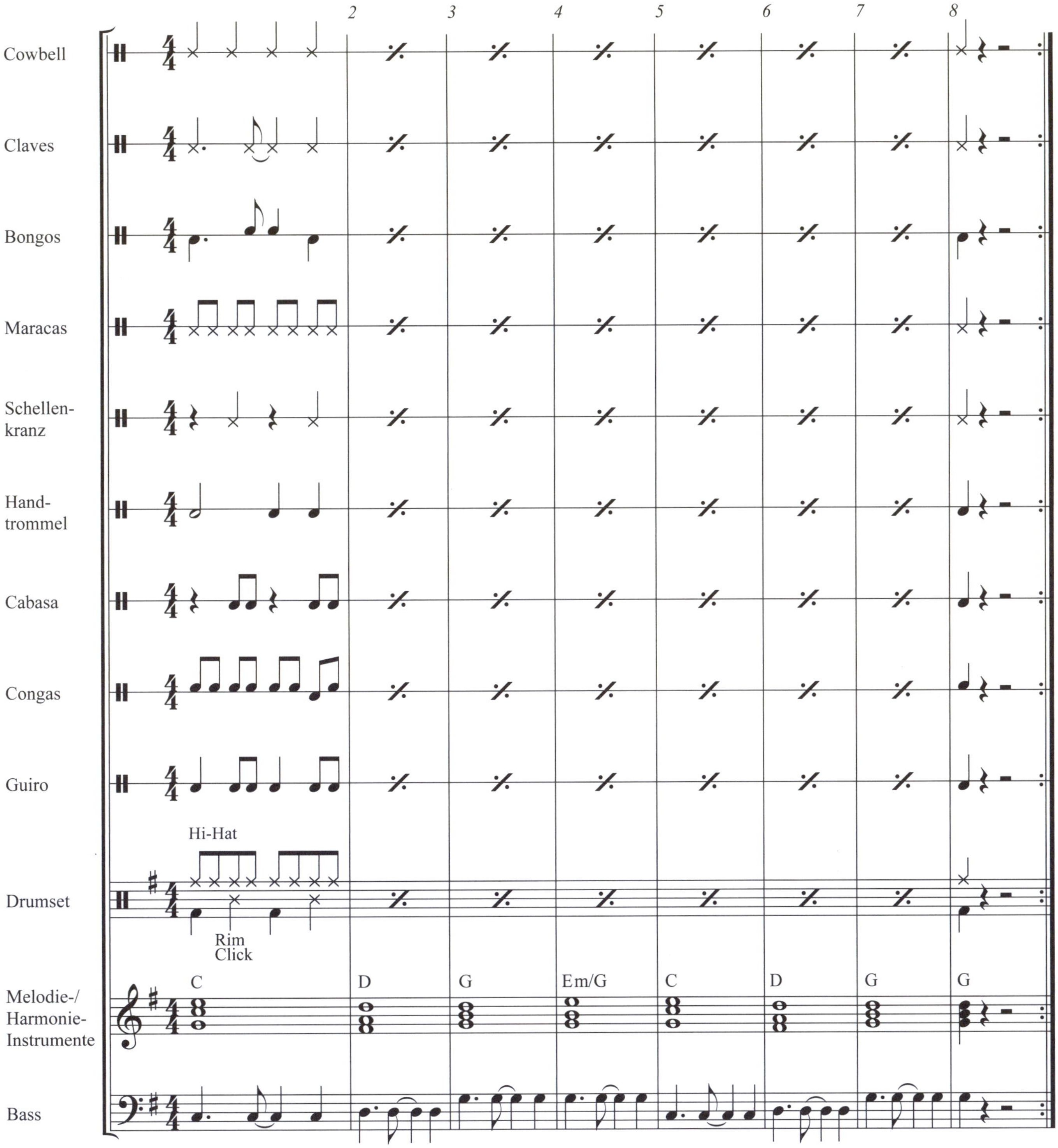
Cowbell
Claves
Bongos
Maracas
Schellen-kranz
Hand-trommel
Cabasa
Congas
Guiro
Drumset
Hi-Hat
Rim Click
Melodie-/Harmonie-Instrumente
Bass
C
D
G
Em/G
C
D
G
G
2 3 4 5 6 7 8

Aufgabe 9

Plant eine weihnachtliche Aufführung. Grundlage sind verschiedene Lieder, die ihr einstudiert habt
und die sich mit Zwischentexten abwechseln. Eine Anregung dazu findet ihr im Liederbuch auf S. 326.
Das Kapitel *Stern über Bethlehem* enthält zudem über 30 weitere winterliche und weihnachtliche Lieder,
und sicherlich gibt es in der Klasse auch Schülerinnen und Schüler, die Unbekanntes beitragen können.
Mit mehr Zeit könnt ihr auch ein etwas aufwendigeres Multimedia-Event zusammenstellen.
Die Lieder werden dabei kombiniert mit vorgetragenen Texten (Geschichten, Gedichte, Infotexte ...)
und passenden Bildern, die als Diashow dazu projiziert werden.
Je nach Zusammensetzung eurer Klasse, deren Interessen, Aufführungsort etc. bieten sich
unterschiedliche inhaltliche Ausrichtungen an. Hier ein paar Beispiele:

Biblisch: Traditionelle europäische Lieder, Texte aus
der Weihnachtsgeschichte des Neuen Testaments ...

Besinnlich: Musik, Bilder und Texte dienen vor
allem dazu, weihnachtliche Stimmung zu erzeugen ...

International: Wie wird Weihnachten in anderen
Ländern gefeiert? Lieder in verschiedenen Sprachen ...

Interkulturell: Gibt es in anderen Religionen so
etwas Ähnliches wie Weihnachten? Was gibt es für
Gewohnheiten, gibt es Lieder? ...

Nachdenklich/kritisch: Worum geht es eigentlich
bei Weihnachten? Haben die Lieder etwas mit unserem
Alltag zu tun? Orte, wo es schwerfällt, ein Fest zu feiern ...

Kapitel 9: Wo bitte geht's hier lang?

Inhalte
- Ablaufzeichen ■ Moll-Dreiklang
- Leitton ■ Soundtracks

Lieder
- Vois sur ton chemin (→ S. 181)
- Kriminal-Tango (→ S. 98) ■ Azzurro (→ S. 116)

Teste dich selbst
BASISWISSEN AUFGEFRISCHT

Ablaufzeichen – Moll

1 Keep your body fit (→ S. 23) lässt sich auch kürzer notieren.
Zeichne an den richtigen Stellen Wiederholungszeichen und Klammern ein:

Move your bod - y, move your bod - y, keep your bod - y fit, oh fit! Hey!

2 Setze die Wortbrocken richtig zusammen, um die Tabelle zu vervollständigen.

Brid – Cho – End – ensp – ge – iel – ing – Int – luss – phe – rain – ro – rse – rus – spiel – Ve

Songteile:

deutsch	englisch
Vor	
Sch	
Stro	
Ref	
Zwisch	

3 Singe/höre langsam die Anfänge der folgenden Lieder und entscheide, ob die Töne auf die grün markierten Silben einen Dur-Dreiklang oder einen Moll-Dreiklang ergeben.

	Dur?	Moll?
Mor-ning has bro-ken ...		
He-we-nu sha-lom alechem ...		
Oh, hap-py day ...		
Dat du min Leevsten büst		

4 Überprüfe den Terzenaufbau der folgenden Dreiklänge und benenne sie mit einem Akkordsymbol.

5 Ergänze die fehlenden Dreiklangstöne.

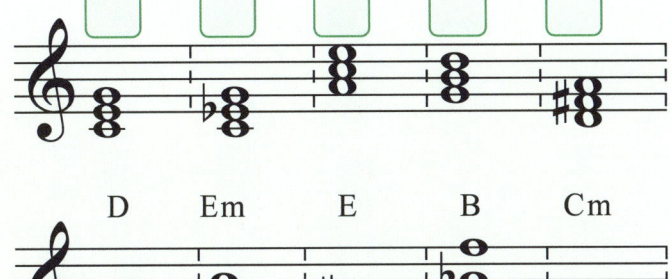

D   Em   E   B   Cm

Vois sur ton chemin

T.: Christophe Barratier M.: Bruno Coulais
Aus dem Film „Die Kinder des Monsieur Mathieu"
© Passerelle/Galatee/Logline/Sony

1./3. Vois sur ton che-min,   ga-mins ou-bli-és é-ga-rés don-ne leur la main pour les me-
     trop vit' ou-bli-és ef-fa-cés une lu-mière do-rée bril-le sans

ner vers d'au-tres len - de - mains.
fin tout au bout du   che - min.
          Don - ne leur la main pour les me - ner vers d'au-tres len - de-
          ꞌ vit' ou-bli-és ef-fa-cés une lu-mière do-rée bril-le sans

1.–3. Sens   au cœur__ de la nuit, l'on-de d'es-poir, ar-deur__ de la vi - e, sen-tier de

mains. 1.–3. Au   cœur de la   nuit l'on-de   d'es - poir,
fin.

gloire.
     ar-deur de la vie, de la vie,   sen-tier de gloire sen-tier de gloire.
                                      2. Bon-heurs en - fan-tins,

gloire. É lé é   i lé é   é lé i i é lé   é lé é i lé é   i lé é i é,   é lé é i lé é

é lé i i é lé   é lé é i lé é   i lé é i é lé.
                                              gloire.

Aufgabe 1 Ablaufzeichen

Wenn in einem Lied viele Teile mehrfach gesungen werden, kann man durch Ablaufzeichen Platz sparen.

a Ordne die angegebenen Begriffe und die Handlungsanweisungen zu.

Wie sieht es aus?	Wie heißt es?	Was ist zu tun?
(Wiederholungszeichen)		
1. (Klammer)		
D.C.		
𝄋		Zeichen
D.S.	Dal Segno	ab dem Zeichen spielen
Fine		
⊕		

1. (2.) Klammer oder 1. (2.) Haus   zwischen den Zeichen wiederholen

von vorne   Ende   „Anhängsel", am Schluss von diesem Zeichen   Da Capo   Coda

nach der Wiederholung in die nächste Klammer springen   zum nächsten springen   Wiederholung

Fine   Segno

b Wenn viele Ablaufzeichen verwendet werden, wird es manchmal etwas unübersichtlich.
Markiere zunächst mit einem Farbstift in den Noten von **Vois sur ton chemin** alle Ablaufzeichen
(Wiederholungen, Klammern etc.).

c Zeichne dann mit vier verschiedenen Farben Pfeile ein, von wo wohin gesprungen werden muss. Achte darauf, dass
Ausgangs- und Zielpunkt klar erkennbar sind und dass du möglichst wenige Noten durchstreichst, die Pfeile also
außen um die Noten herumgehen. Du brauchst insgesamt vier Pfeile.

Aufgabe 2

Der Begleitsatz auf Seite 60 ist durch fortlaufende Buchstaben, sogenannte Orientierungszeichen, gegliedert.
Beschrifte die Teile des Arrangements mit den Begriffen **Vorspiel, Strophe, Refrain** und **Bridge**.

Aufgabe 3 Moll-Dreiklang

a Außer den Vorzeichen gibt es noch eine weitere Möglichkeit, die Tonart eines Lieds herauszufinden. Die Akkord-symbole am Anfang und vor allem am Schluss des Lieds zeigen dir fast immer an, in welcher Tonart es steht.

Vois sur ton chemin steht also in _____ .

b Schreibe die Anfangstöne des 1., 3. und 5. Takts in ganzen Noten übereinander. Nach und nach baut sich hier ein d-Moll-Dreiklang auf. Wodurch unterscheidet er sich von einem Dur-Dreiklang?

_____

c Singt die ersten zwei Zeilen des Refrains (nur die Melodie ohne die Begleitstimme) von *sens* bis *gloire*.
Spielt dazu auf einem Metallofon in jedem Takt auf die 1 den Grundton *d*.
Hört und spürt, wie die Melodie immer wieder zu diesem Grundton zurückkehrt.

d Singt nur die Zeile „Sens au cœur de la nuit". Das *f* auf „nuit" ist die Mollterz über *d*.
Singt die Zeile noch einmal, singt aber diesmal nur „Sans" und „nuit" laut, die anderen Silben ohne Ton. Wiederholt die Zeile einige Male. Hört die kleine Terz zwischen *d* und *f* und versucht, euch diesen molltypischen Klang zu merken.

Aufgabe 4 Leitton

a Singt noch einmal die Takte 1 – 11 und bleibt jeweils auf der vorletzten Note kurz stehen.
In beiden Zeilen ist diese Note ein *cis*, ist also durch ein Versetzungszeichen erhöht. In Moll ist das oft so, damit sich die Hinleitung zum Grundton logischer anhört.

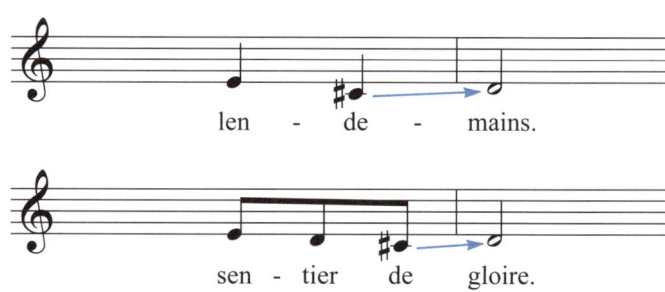

b Finde zwei weitere Stellen im Lied mit dem Schritt *cis* → *d* und markiere sie im Notentext auf Seite 56 mit einem Pfeil und dem Begriff *Leitton*.

Aufgabe 5 Hin und her

Manche Lieder wechseln zwischen der gleichnamigen Dur- und Moll-Tonart hin und her, z. B. der **Kriminal-Tango** (→ S. 98) in Takt 10 und Takt 26, oder das Lied **Azzurro** (→ S. 116) in Takt 9.
Singt die beiden Lieder und prägt euch die klanglichen Unterschiede ein.

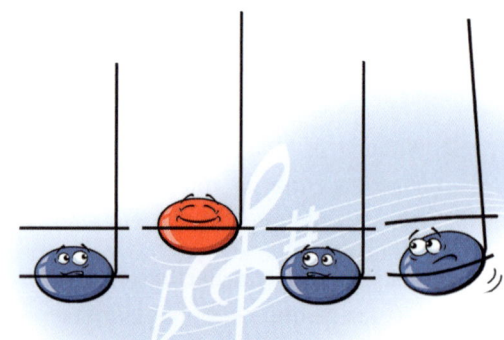

Ohrzeit Dur oder Moll

Du hörst Lieder in Vierergruppen. Jeweils drei Lieder stehen in Moll, eines in Dur.
Bestimme für jedes Lied das Tongeschlecht und schreibe **M** für Moll und **D** für Dur.

Vierergruppe 1 ☐ ☐ ☐ ☐

Vierergruppe 2 ☐ ☐ ☐ ☐

Aufgabe 6

Die Parallel-Tonart zu C-Dur ist a-Moll. Beide Tonleitern haben keine Vorzeichen. Untersuche die Tonschritte und beschrifte beide Tonleitern mit ⋁ für Halbton- und ⌴ für Ganztonschritte.

Beschreibe die Unterschiede zur Abfolge der Schritte in der Dur-Tonleiter.

Mollparallele

Zu jeder Durtonart gehört eine „parallele" Moll-Tonart. Die Tonleiter der Moll-Parallele verwendet die gleichen Töne und Vorzeichen und beginnt eine kleine Terz unter der Durtonleiter.

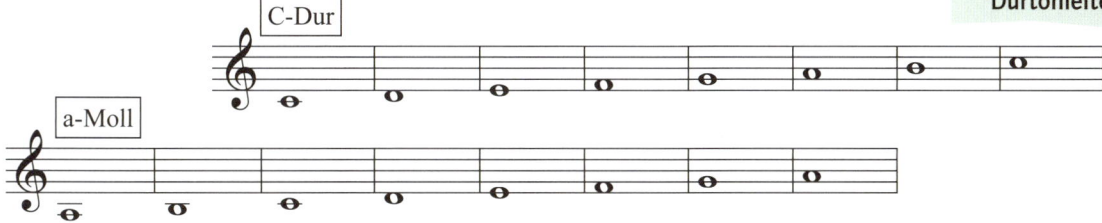

Aufgabe 7

Schreibe die G-Dur-Tonleiter und ihre parallele Moll-Tonleiter auf. Schreibe den Namen der Moll-Tonleiter in das Kästchen. Wie G-Dur hat auch sie ein Kreuzvorzeichen.

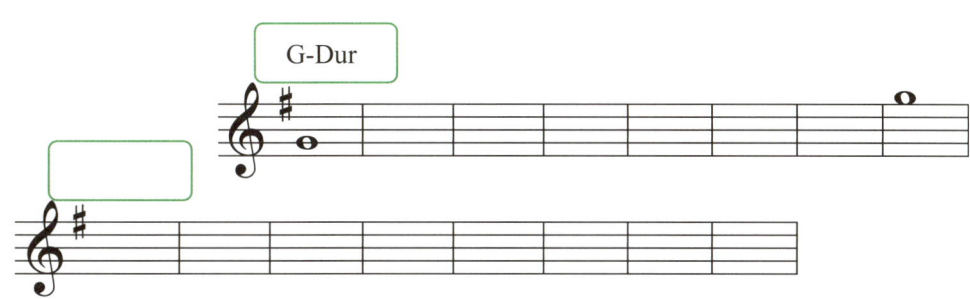

Aufgabe 8

Hier sind vier Ausschnitte aus dem Lied **Die Moorsoldaten** (→ S. 211) gegenübergestellt.

a Ergänze die fehlenden Teile der Melodie und die Akkordsymbole.

T.: Langhoff/Esser
M.: Eisler/Goguel
© C. F. Peters

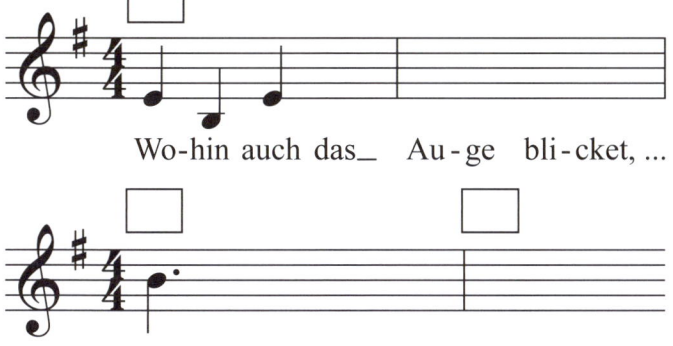
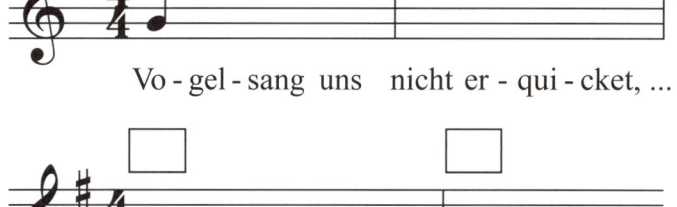
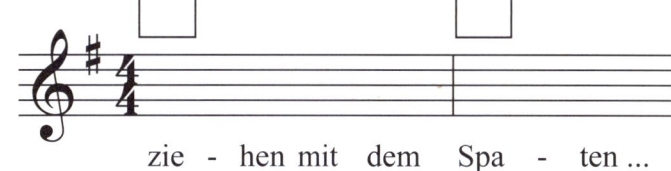

b Beschreibe, wie im Verlauf des Liedes zwischen Parallel-Tonarten gewechselt wird.

c Lies den ganzen Text des Liedes und erläutere, wie man den beschriebenen Verlauf der Tonarten inhaltlich deuten könnte.

Aufgabe 9

Trage die fehlenden Angaben in die Tabelle ein. Die Informationen in der Wissensbox helfen dir dabei.

Vorzeichen	Dur-Tonart	Parallele Moll-Tonart
2 Kreuze	D-Dur	
1 Kreuz		
keine		
1 Be		d-Moll
2 Be	B-Dur	

Vois sur ton chemin (Begleitsatz)

M.: Bruno Coulais
Arr.: Joachim Fischer
© Passerelle/Galatee/
Logline/Sony

Soundtracks

Als „Soundtrack" bezeichnet man die Tonspur eines Films, also Musik, Dialoge, Geräusche, etc. Im engeren Sinn versteht man darunter die Teile der Filmmusik, die auch als eigenständige Musikstücke vermarktet werden.

Dabei handelt es sich entweder um Musik, die das Filmgeschehen illustriert (wie die epische Orchestermusik aus „Fluch der Karibik") oder um regelrechte Songs (wie „Can You Feel the Love Tonight" aus „König der Löwen"), vor allem in Filmen, in deren Handlung es auch um Musik geht, oder in Musicalverfilmungen.

Aufgabe 10 Filmmusik

Vois sur ton chemin stammt aus dem Film „Les Choristes" (dt.: „Die Kinder des Monsieur Mathieu") und wurde auch unabhängig vom Film erfolgreich.

a Finde weitere Beispiele für Filmmusik, die über den Film hinaus bekannt geworden ist.
(Schau dir auch das „Kapitel 6: Mamma mia" im Liederbuch an.)

Musiktitel	Film

b Diskutiert, ob Filmmusik eher durch den Film bekannt ist, oder ob Filme eher durch ihre Musik bekannt werden.

Aufgabe 11 Gromolo

Vielleicht hast du schon von „Gromolo" gehört? Das ist eine Fantasiesprache, die im Improvisationstheater verwendet wird und keinen Sinn ergibt.

a Improvisiert zu zweit eine kleine Gromoloszene (z. B. einen Streit zwischen Mutter und Tochter).
Wenn ihr wollt, lasst die anderen raten, was ihr gerade spielt. Man kann auch eine dritte Person bitten, eure Sätze nebenher ins Deutsche zu „übersetzen".

b Falls ihr beim Singen Probleme mit einer Fremdsprache habt, oder den Text nicht auswendig könnt, kann Gromolo hilfreich sein. Versucht es mit **Vois sur ton chemin** und singt eine Gromolo-Strophe. Dabei kann es ruhig nach Fantasiefranzösisch klingen. Der „É lé é …"-Teil ist im Grunde nichts anderes.

Kapitel 10: Vom Quartett zur Hymne

Inhalte
- Geschichte der deutschen Nationalhymne
- Hymnen der Welt ■ Streichquartett ■ Transposition
- Dur-Tonleitern ■ Quintenzirkel

Lieder
- Einigkeit und Recht und Freiheit

Teste dich selbst
BASISWISSEN AUFGEFRISCHT

Lautstärke – Tempo – Tonleiter

1 Das Klavier wurde früher auch als „Pianoforte" bezeichnet, weil man auf ihm die ganze Bandbreite von

_____ **(= piano)** bis _____ **(= forte)** spielen kann.

2 Eine isländische Funk-Band nennt sich **„Mezzoforte"**. Übersetze den Namen:

_____

3 Schreibe die Übersetzung der vier Tempobezeichnungen
Largo – Moderato – Allegro – Presto auf. Schreibe jedes
Wort in dem Tempo auf, das es bedeutet.

_____

_____

_____

_____

4 Bei einer Dur-Tonleiter stehen die Halbtonschritte

zwischen der ☐ und ☐ Stufe und zwischen der ☐ und ☐ Stufe.

5 Die zwei Lieder beginnen jeweils mit einem Tonleiter-
anfang. Schreibe die Tonleiterstufen von 1 bis 5
in die Kästchen. Bestimme dann, ob zwischen den
Stufen Halbton- oder Ganztonschritte sind und trage
an den entsprechenden Stellen HT oder GT ein.
Entscheide dann aufgrund der Reihenfolge von HT
und GT, welches Lied in Dur steht und welches
in Moll.

Es kommt ein Schiff ge - la - den ...

Horch, was kommt von drau - ßen rein, ...

Einigkeit und Recht und Freiheit: Die deutsche Nationalhymne

T.: A. H. Hoffmann von Fallersleben (1798–1874)
M.: Joseph Haydn (1732–1809)

Ei - nig - keit und Recht und Frei - heit für das deut - sche Va - ter - land,
da - nach lasst uns al - le stre - ben brü - der - lich mit Herz und Hand!

(4)

Ei - nig - keit und Recht und Frei - heit sind des Glü - ckes Un - ter - pfand.

(8)

Blüh im Glan - ze die - ses Glü - ckes, blü - he deut - sches Va - ter - land!

Aufgabe 1   Das Deutschlandlied

Das Lied **Einigkeit und Recht und Freiheit** hat eine lange und wechselvolle Geschichte.

a Informiere dich auf → S. 41 im Liederbuch über die Hintergründe und fülle die Lücken im folgenden Text.

Der Komponist Joseph _____ schrieb die Melodie 1797

zum Geburtstag des _____ Kaisers.

Damals hatte sie noch einen ganz anderen Text.

Joseph Haydn
1732 - 1809

b Leider ist das Notenblatt stark ausgeblichen. Zeichne die Noten nach, damit sie wieder gut zu lesen sind, und ergänze den Text.

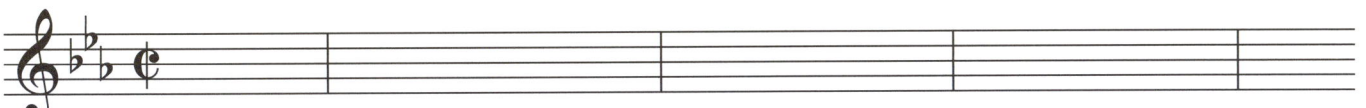

Gott er - _____ un - sern gu - ten Kai - ser__ Franz!

A.H. Hoffmann von Fallersleben
1798 - 1874

44 Jahre später, im Jahr _____

übernahm der Hochschullehrer und Dichter

A. H. Hoffmann von _____

diese Melodie von Haydn und schrieb einen anderen Text dazu.

Hoffmann war Dichter, deshalb fehlen auf seinem
Blatt die Noten. Schreibe sie darüber:

1. Deutsch - land, Deutsch - land ü - ber al - les, ü - ber al - les in der__ Welt.

Zu Hoffmanns Zeit bestand Deutschland aus einem losen Bund vieler kleiner Einzelstaaten. Hoffmann wünschte sich

einen einigen und _____ deutschen Staat. Dieser Wunsch ging ihm „über alles".

Unter den _____ wurde ab 1933 nur noch diese erste Strophe gesungen

und absichtlich falsch gedeutet: Deutschland solle sich über alle anderen Länder erheben.

Nach dem zweiten _____ hatte man schlimme Erinnerungen an die erste Strophe des

Liedes. Deshalb wurde nur die _____ Strophe zur deutschen _____

erklärt, denn sie beschreibt demokratische Werte. Sie gilt seit 1991 auch für das _____

Deutschland.

c Von diesem Notenblatt hat ein Fußballer den Text abgerissen, weil er für den Gesang vor dem Länderspiel noch lernen wollte. Ergänze den fehlenden Text der ersten Zeile:

Ei - nig - k_____ un_ Fr____ das _____ ter - la___

_____ _____ _____ _____ _____ _____

Aufgabe 2 Tempo

Hört euch Aufnahmen der deutschen und der französischen Nationalhymne an.

a Ermittelt mit einem Metronom oder einer Stoppuhr das jeweilige Tempo der Hymnen. Diskutiert, was der Grund für den Unterschied sein könnte.

b Singt die Hymnen in unterschiedlichen Tempi und beschreibt unterschiedliche Wirkungen.

Aufgabe 3

Haydn hat seine eigene Liedmelodie später noch einmal in einem Stück für Streichinstrumente verwendet.

a In den Noten steht die Tempobezeichnung „Poco adagio". Vergleicht das Tempo mit euren Ergebnissen aus Aufgabe 2.

b Finde Beispiele, bei welchen Anlässen Nationalhymnen heute in der Regel gespielt werden. Warum sind Streichinstrumente bei solchen Gelegenheiten eher selten?

Aufgabe 4 Streichquartett

Das Ensemble, für das Haydn die Melodie gesetzt hat, ist ein Streichquartett. Es besteht aus zwei Geigen, einer Bratsche und einem Cello.

a Schau dir ein Video des Quartettsatzes an und beschrifte die Instrumente im Bild und die Zeilen im Notenbeispiel auf S. 64. Achte auf die Größe der Instrumente und wer wann spielt.

b Die Liedmelodie wird insgesamt fünfmal hintereinander gespielt. Notiere, welches Instrument jeweils die Melodie spielt.

1. _____ 2. _____

3. _____ 4. _____

5. _____

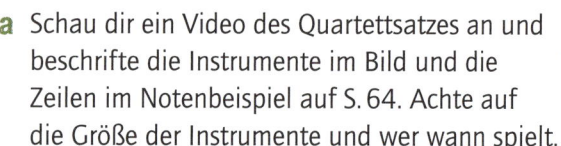

WISSEN

Ein Streichquartett besteht aus vier Streichinstrumenten, meistens aus:

Ohrzeit 105 Kaiserquartett

Du hörst drei Ausschnitte aus dem Streichquartett von Haydn. Beantworte die folgenden Fragen:

Ausschnitt 1: Die erste Liedzeile wird zweimal von der Geige gespielt. Was ändert sich beim zweiten Mal?

Ausschnitt 2: Die letzte Liedzeile wird zweimal vom Cello gespielt. Was spielt das Cello als Überleitung von der Liedzeile zur Wiederholung?

Ausschnitt 3: Welche beiden Instrumente spielen in diesem Ausschnitt nicht?

Aufgabe 5 Tonvorrat

Hier ist die letzte Zeile der Melodie (die Fassung für Streicher steht in einer anderen Tonart).

a Notiere den Tonvorrat. Beginne mit dem höchsten und ende mit dem tiefsten Ton, ohne einen Ton zwei Mal zu schreiben. Schreibe ganze Noten.

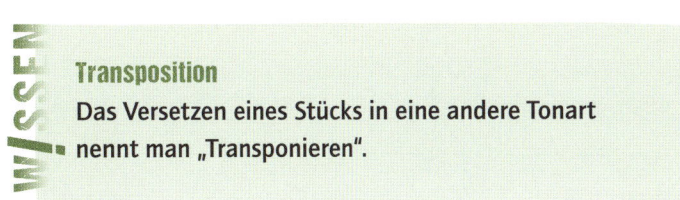

b Ziehe in beiden Notenzeilen mit einem Lineal und einem Farbstift jeweils eine Linie vom ersten bis zum letzten Ton und beschreibe, wie die Melodie aufgebaut ist.

_____

_____

_____

Einigkeit und Recht und Freiheit steht im Liederbuch in Es-Dur, weil es sich in dieser Tonart gut singen lässt. Für das Streichquartett hat Haydn die Melodie in G-Dur geschrieben, weil das für Streicher gut zu spielen ist.

Aufgabe 6 Transposition

Schreibe die <u>erste</u> Zeile des Liedes in G-Dur auf:

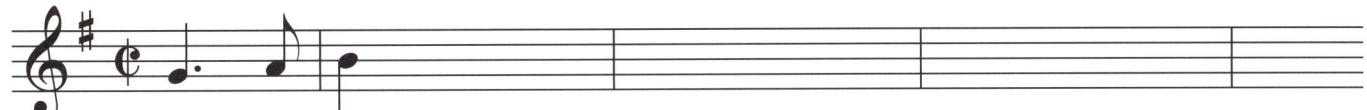

 **Ohrzeit** 🔊 Tonleitern

a Du hörst immer abwechselnd eine Dur-Tonleiter und danach die gleiche Tonleiter noch einmal mit einem veränderten Ton. Schreibe auf, der wievielte Ton jeweils verändert wurde.

Tonleiter 1: der _____ Ton   **Tonleiter 2:** der _____ Ton   **Tonleiter 3:** der _____ Ton

b Du hörst immer abwechselnd eine Moll-Tonleiter und danach die gleiche Tonleiter noch einmal mit einem veränderten Ton. Schreibe auf, der wievielte Ton jeweils verändert wurde.

Tonleiter 1: der _____ Ton   **Tonleiter 2:** der _____ Ton   **Tonleiter 3:** der _____ Ton

Die wichtigsten Tonleitern
Man kann eine Melodie in elf verschiedene Tonarten transponieren. Die meisten Lieder und Musikstücke sind aber in Tonarten mit wenigen Vorzeichen geschrieben.
Auf der nächsten Seite sind alle Dur-Tonleitern mit bis zu drei Vorzeichen abgedruckt.

Aufgabe 7 Dur-Tonleitern

a Schreibe die jeweiligen Vorzeichen, die am Anfang der Zeile stehen, noch einmal als Versetzungszeichen vor die entsprechenden Töne. Achte darauf, dass ein Vorzeichen unabhängig von der Oktavlage gilt, ein vorgezeichnetes *fis* gilt also für jedes *f*, gleich wo es steht.

b Benenne dann alle Töne und schreibe die Namen der Tonleitern in die grünen Kästchen.

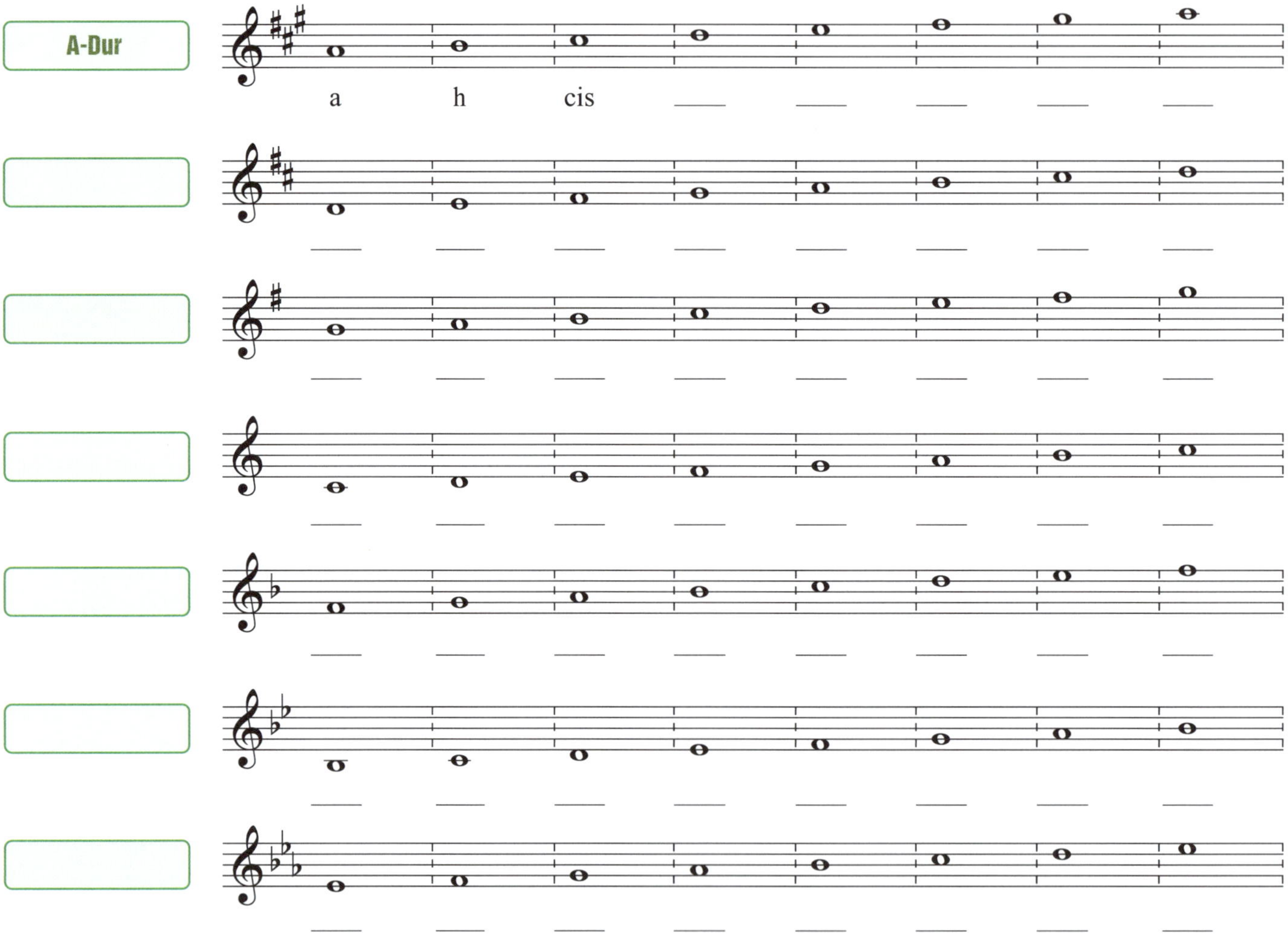

A-Dur

a   h   cis   ___   ___   ___   ___   ___

c Lerne diese Tonarten auswendig (Grundton, Anzahl der Vorzeichen und welche Vorzeichen dies sind).

d Trage unter der folgenden Reihe von Tönen die Intervalle von einem Ton zum jeweils nächsten ein.

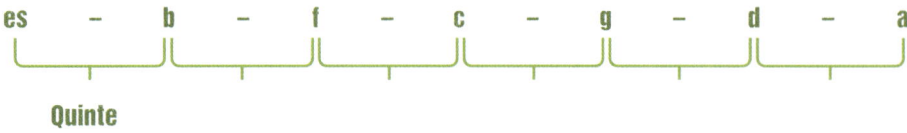

es – b – f – c – g – d – a

Quinte ___ ___ ___ ___ ___ ___

APP

Vergleiche die Töne mit den Grundtönen der Tonarten in den grünen Kästchen von Aufgabe **7b**.
Wenn man die Reihe weiter fortsetzt, kommt man nach einer Weile wieder beim Anfangston an.
Das ist dann der berühmte **Quintenzirkel**.

Kapitel 11: Fünf Töne müsst ihr sein!

Inhalte
- Kanon
- Pentatonik
- Gruppenchoreografie
- Tempobezeichnungen

Teste dich selbst
BASISWISSEN AUFGEFRISCHT

Kanon – Pentatonik

1 Schreibe die folgende Definition eines Kanons noch einmal auf und entwirre dabei die Wörter, die durcheinandergeraten sind:

Bei einem noKna singen alle die heglice loMiede, aber eziltick versetzt.

Wenn alle Stimmen setzgeient haben, ist ein stierghimmmer Satz zu hören.

_____

_____

_____

_____

2 Eine Durtonleiter besteht aus ☐ verschiedenen Tönen.

Eine pentatonische Tonleiter besteht nur aus ☐ verschiedenen Tönen.

a Mache aus der Dur-Tonleiter eine pentatonische Leiter. Welche beiden Töne musst du streichen?

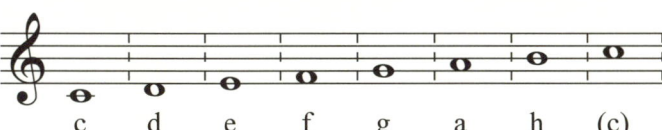

c   d   e   f   g   a   h   (c)

b Mache aus der Moll-Tonleiter eine moll-pentatonische Leiter. Welche Töne musst du diesmal streichen?

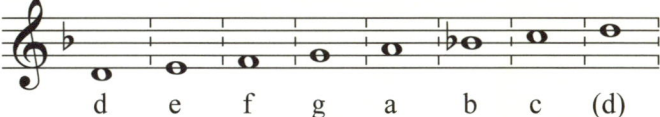

d   e   f   g   a   b   c   (d)

3 Untersuche den Notenausschnitt aus einem Weihnachtslied.

a Notiere den Tonvorrat und entscheide, ob es sich um ein pentatonisches Lied handelt.

Pentatonik: ☐ ja   ☐ nein

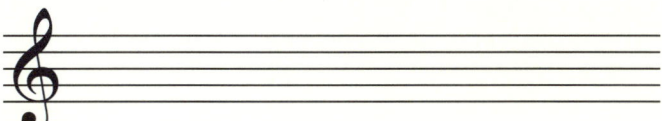

b Wie heißt das Weihnachtslied? _____

Shalom chaverim

T. u. M.: trad. aus Israel

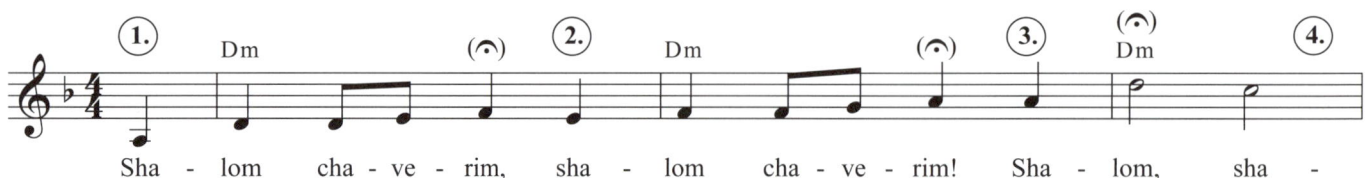

Sha - lom cha - ve - rim, sha - lom cha - ve - rim! Sha - lom, sha -

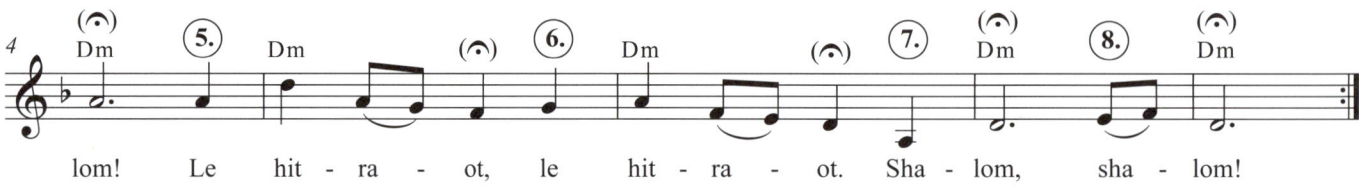

lom! Le hit - ra - ot, le hit - ra - ot. Sha - lom, sha - lom!

**Intro bzw. Ostinato
für Männerstimmen:**

Sha - lom! Sha -

Aufgabe 1

Damit man sich beim gemeinsamen Singen orientieren kann, werden in den Noten
eines Kanons zwei Arten von Markierungen über den Noten verwendet:

a Mit Zahlen werden die Stellen angegeben, an denen die nächste Stimmgruppe mit
dem Kanon einsetzen kann. Die meisten Kanons sind drei- oder vierstimmig, –
1. Shalom chaverim kann bis zu achtstimmig gesungen werden.
Markiere die eingekreisten Zahlen im Notat mit einer Farbe.

b Das Ende eines Kanons wird in der Regel angezeigt. Damit man weiß, an welcher Stelle im
Takt man stehenbleiben muss, werden diese Stellen mit einer (meist eingeklammerten)
Fermate gekennzeichnet. Markiere die Fermaten im Notat mit einer weiteren Farbe.

Schreibe dann hier alle Töne, die unter den Fermaten
stehen, übereinander auf. Mit diesem Akkord endet
der Kanon.

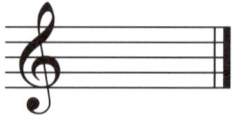

Aufgabe 2   Kanon selbst texten

Der Text von Shalom chaverim ist hebräisch, eine Sprache, die in Israel
gesprochen wird und die eine eigene Schrift hat. Zur leichteren Lesbarkeit
hat man die Wörter für uns mit unseren Buchstaben umgeschrieben.
„Shalom" heißt „Friede", aber „Shalom chaverim" kann auch einfach
„Hallo Freunde" heißen, und „le hitraot" ist „Auf Wiedersehen".

שלום חברים

**Shalom chaverim in hebräischer Schrift
(von rechts nach links)**

a Untersuche den Aufbau des Liedtexts in der Tabelle auf der nächsten Seite.
Schraffiere die Textkästchen mit unterschiedlichen Farben.
Verwende gleiche Farben für gleiche Texte. Bezeichne die Zeilen dann links
daneben mit Buchstaben. Beginne mit a und verwende gleiche Buchstaben
für gleiche Zeilen und verschiedene Buchstaben für verschiedene Zeilen.

b Schreibe einen deutschen Text in die dritte Spalte der Tabelle, den man auf die Melodie singen kann. Achte auf Silbenanzahl und Wortbetonung, z. B. den Auftakt zu Beginn. Behalte das Schema bei. Wiederhole Text, wo auch im Original Text wiederholt wird.

Form	Hebräischer Text	Dein Text
a	Shalom chaverim	
	Shalom chaverim	
	Shalom	
	Shalom	
	Le hitraot	
	Le hitraot	
	Shalom	
	Shalom	

c Vergleicht eure Ideen und singt die, die am besten gelungen sind. Schreibe einen der Texte auf dem Notenblatt unter den Originaltext. Achte darauf, dass die Silben unter den Noten stehen, auf die sie auch gesungen werden.

Aufgabe 3 Aufbau eines Kanons

Hier ist der Anfang des australischen Kanons Kookaburra. Nach zwei Takten beginnt die zweite Gruppe den Kanon und singt dazu.

a Schreibe diesen Einsatz (Noten und Text) in die leeren Takte.

T. u. M.: Marion Sinclair
© Larrikin/Bosworth

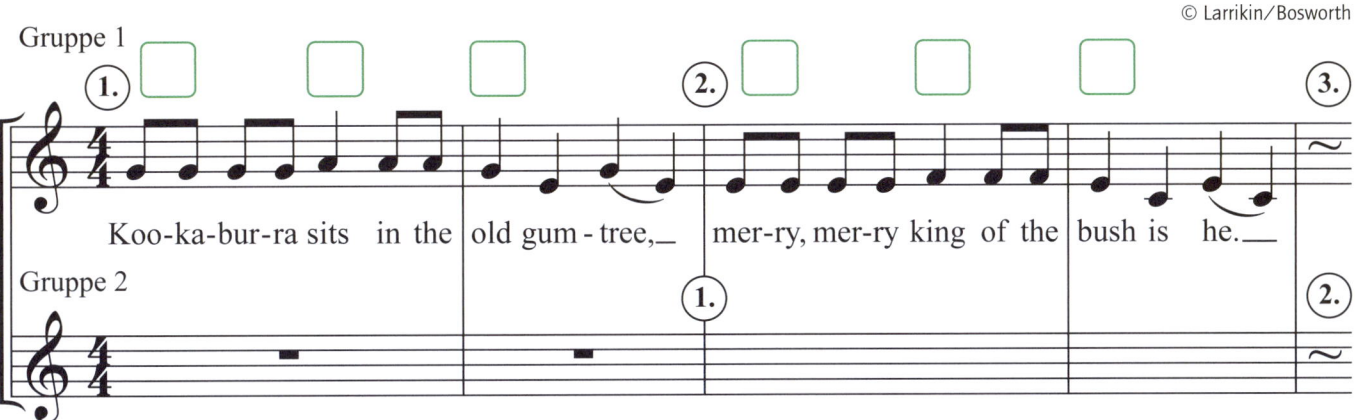

b Schau dir das Lied im Liederbuch an (➤ S. 138) und schreibe die Akkordsymbole in die grünen Kästchen. Vergleiche Takt 1/2 mit Takt 3/4. Vergleiche sie dann im Liederbuch mit Takt 5/6 und 7/8. Wie kommt es also, dass es nicht durcheinander klingt, wenn all diese Doppeltakte gleichzeitig erklingen?

Aufgabe 4

Hier ist der Anfang des afrikanischen Kanons Banuwa.

a Schreibe auch hier den Anfang der zweiten Stimme in die leeren Takte.

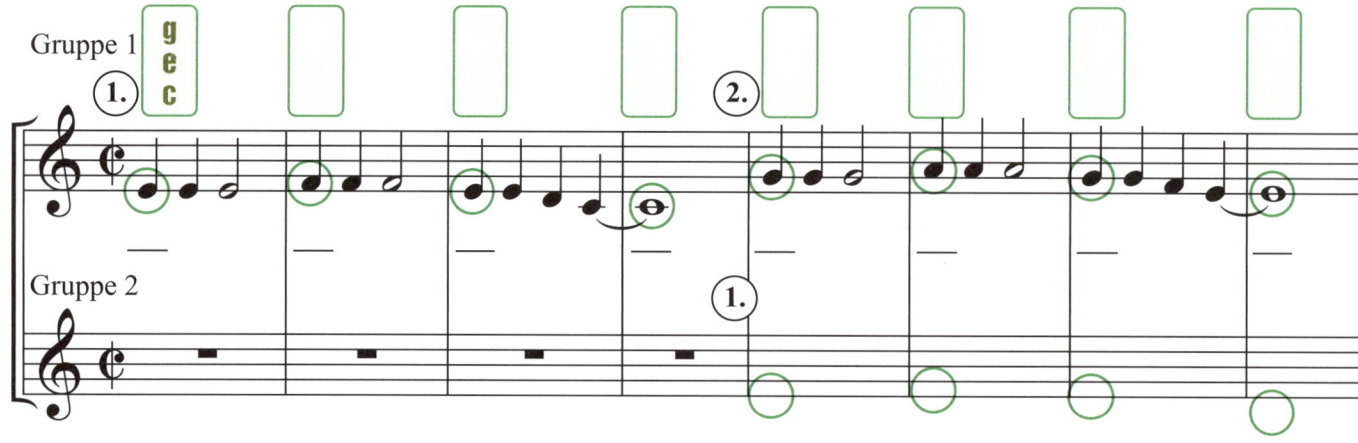

b Benenne in beiden Stimmen die umkreisten Töne (immer der erste Ton in jedem Takt).
Schreibe die Tonnamen unter die Noten.

c Schau dir auf der ➡ S. 137 im Liederbuch die Akkordsymbole an. Trage für jedes Akkordsymbol
die drei Dreiklangstöne in die grünen Kästchen ein. Merke, dass die Melodietöne auf den
Taktschwerpunkten (der „1" des Taktes) immer Teil des Dreiklangs sind.

Aufgabe 5   Improvisation

a Übe die Töne der d-Moll-Pentatonik (d – f – g – a – c) auf einem beliebigen Instrument. Die Tonlage ist unwichtig,
auch die höheren und tieferen Töne mit dem gleichen Namen (hier ausgegraut) sind möglich.

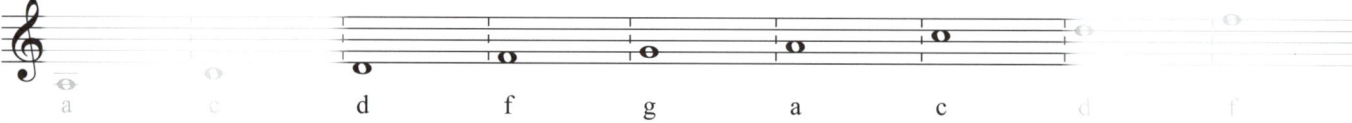

 b Spiele dann zu Shalom chaverim eine Improvisation, die nur diese Töne verwendet. Folgende Vorübungen helfen dir dabei:
- Spiele nur lange Töne (ganze oder halbe Noten).
- Spiele im Rhythmus der Melodie, nur mit anderen Tönen. Vermeide große Tonsprünge.
- Spiele im Rhythmus der Melodie, aber setze (wie beim Kanon) erst im dritten Takt ein.

c Die Melodie von Shalom chaverim ist nicht durchweg pentatonisch. Vergleiche die Noten mit der pentatonischen
Tonleiter oben. Markiere im Notentext die Töne der Melodie, die nicht in der Pentatonik enthalten sind.

Ohrzeit 11   Pentatonik

 Eine pentatonische Tonleiter hat zwei Töne weniger
als eine Dur- oder Moll-Tonleiter.

a Höre dir die Tonleiter ein paar Mal an und schreibe
dann Ton für Ton mit (der erste ist vorgegeben).
Dort, wo die Töne in der Aufnahme „wegfliegen",
überspringst du einen Ton.

b Du hörst drei Liedausschnitte (alle beginnen mit c).
Zu manchen Tönen erklingt ein „Ping". Tippe auf jeden
Ton auf deiner Tonleiter mit und schreibe die Namen
der „Ping"-Töne auf:

Ausschnitt 1: Epo i tai tai yé: ＿＿＿ ＿＿＿ ＿＿＿

Ausschnitt 2: Lass doch den Kopf nicht hängen:

＿＿＿ ＿＿＿ ＿＿＿

Ausschnitt 3: Amazing Grace: ＿＿＿ ＿＿＿ ＿＿＿

Shalom chaverim (Begleitsatz)

M: trad.
Arr.: Joachim Fischer

Aufgabe 6 Tanz

Zu israelischen Liedern wird auch oft getanzt. Lernt eine einfache Gruppenchoreografie zu Shalom chaverim und singt dazu. Typischerweise fasst man sich dabei an den Händen, es geht aber auch ohne.

a Stellt euch im Kreis oder in einer oder mehreren Linien auf und folgt der Tanzbeschreibung einmal durch das Lied.

b Macht den Kanon sichtbar! Dazu stellt ihr euch in zwei Kreisen auf (Außenkreis und Innenkreis), alle mit Blick zum Kreismittelpunkt. Der Außenkreis fängt an zu singen und zu tanzen, nach zwei Takten fängt der Innenkreis an zu singen und zu tanzen. Nach drei Durchgängen durch das Lied einfach stehen bleiben.

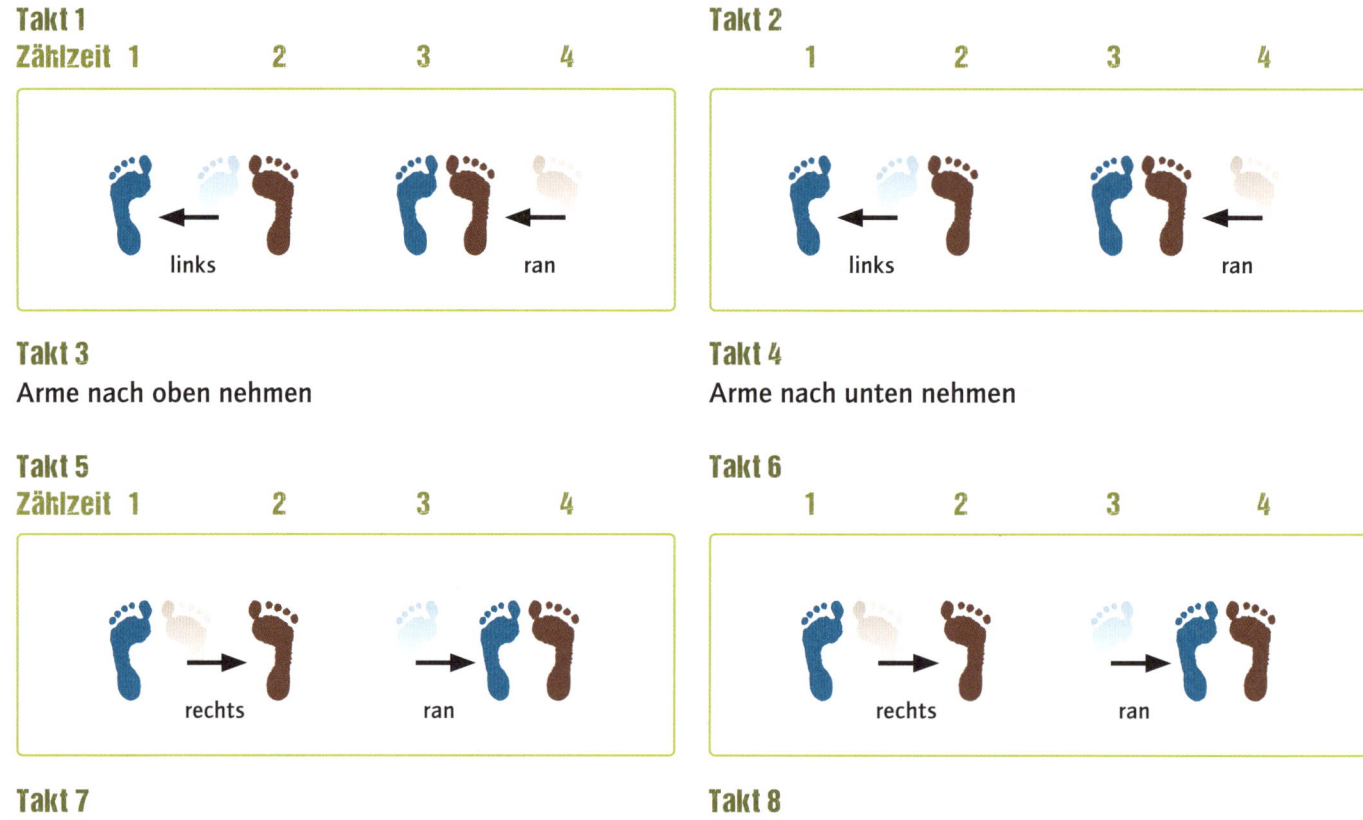

Takt 1
Zählzeit 1   2   3   4

links   ran

Takt 2
1   2   3   4

links   ran

Takt 3
Arme nach oben nehmen

Takt 4
Arme nach unten nehmen

Takt 5
Zählzeit 1   2   3   4

rechts   ran

Takt 6
1   2   3   4

rechts   ran

Takt 7
Arme nach hinten nehmen

Takt 8
Arme nach vorne nehmen

Aufgabe 7 Tempobezeichnungen

Ein weiteres bekanntes israelisches Lied, das zum Tanzen anregt, ist Hava nagila (→ S. 131). Singt das Lied und hört euch dann die Aufnahme der „Klezmer Lounge Band" an und tragt folgende Tempobezeichnungen an der richtigen Stelle in den Ablaufplan ein: **Largo, Andante, Allegro (2x), ⌒, accelerando.**

| ‖: Hava nagila, … :‖ | ‖: Hava neranena, … :‖ | Uru … | … belev ssameyach, | … achim, | … belev ssameyach, |

Aufgabe 8 Internetrecherche

Informiere dich über sogenannte Klezmermusik.

Kapitel 12: Lady Sings the Blues

Inhalte
- Latin vs. Swing
- Artikulationszeichen
- Bluesform
- Bluestonleiter
- Bluesharmonik

Teste dich selbst
BASISWISSEN AUFGEFRISCHT

Triolen – Formteile

1 a Höre dir die beiden Abschnitte aus dem Gedicht an und lies sie laut vor. Achte auf die betonten Silben.

> *Wie war zu Köln es doch vordem mit Heinzelmännchen so bequem!*
>
> *… klappten und lärmten und rupften und zupften und hüpften und trabten und putzten und schabten und …*

b Spiele die beiden Rhythmen (auf Bongos, mit Body-Percussion …). Achte auf den Gegensatz zwischen Achteln und Triolen.

c Unterlege die Rhythmen jeweils mit einer passenden Zeile aus dem Gedicht.
Lies laut und schreibe den Text unter die Noten.

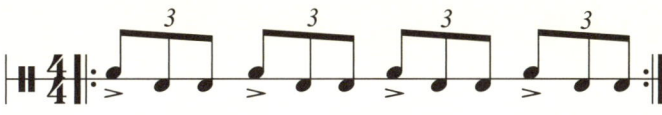

2 Schau dir die vier Teile des Refrains von Un poquito cantas (→ S. 102) genau an und entscheide, ob sie gleich, ähnlich oder unterschiedlich sind.
Schreibe Großbuchstaben in die grünen Kästchen, verwende dabei gleiche Buchstaben für gleiche Teile, Buchstaben mit Strich (z. B. A') für ähnliche Teile, und verschiedene Buchstaben für verschiedene Teile.

Backwater Blues

T. u. M.: Bessie Smith

1. When it rains five days and the sky turns dark as___ night.___

When it rains five days___ and the sky turns dark as___ night.___

There is trou - ble ta - kin' place in the low - lands at___ night.___

Aufgabe 1 Gerade und swingende Achtel

Latin und Swing sind zwei rhythmische Stilarten (sogenannte **Grooves**), die im Jazz und in der Unterhaltungsmusik häufig verwendet werden. Manchmal kommen in einem Stück beide vor, wie im nachfolgenden Beispiel.

a Hört das Playback zu **Catch a Falling Star** (→ S. 53) und singt dazu.

b Begleitet den Refrain zum Playback mit einem zweistimmigen Bodypercussion-Pattern:

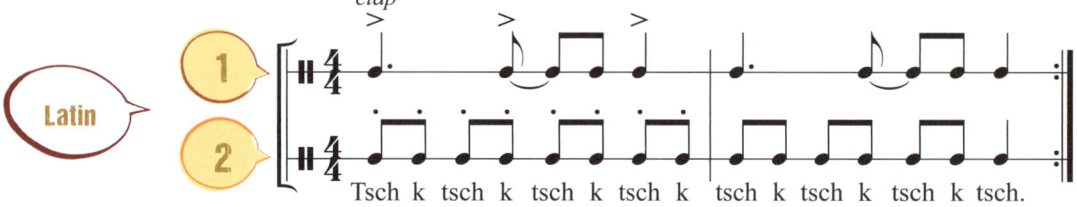

c Begleitet dann auch die Strophen zum Playback. Gruppe **1** imitiert das swingende Hi-Hat-Pattern mit der Stimme, Gruppe **2** schnipst die Backbeats.

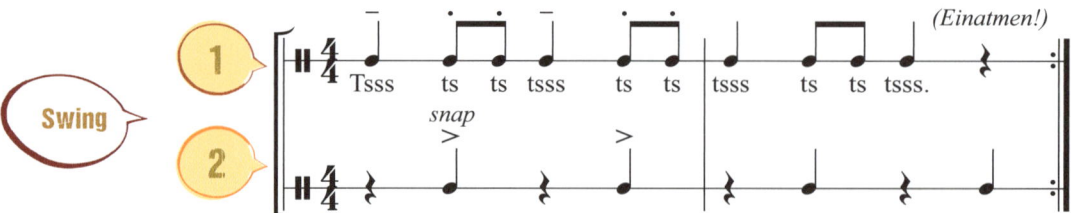

Aufgabe 2

Bei Instrumentalmusik und Vocussion werden oft Hinweise zur Ausführung in Form von sogenannten Artikulationszeichen verwendet.

a Schau dir die Vocussion in Aufgabe **1b** und **c** an und ergänze die fehlenden Zeichen über den Noten im zweiten Takt.

b Präge dir die Bedeutung der wichtigsten Zeichen in der Wissensbox ein.

> **WISSEN**
>
> **Artikulation**
> In der Notenschrift gibt es Zeichen, die die Art und Weise angeben, wie Töne gespielt werden sollen:
>
> kurz (staccato) . betont (Akzent) >
>
> breit (tenuto) _  gebunden (legato) ⌣
>
> Man nennt sie **Artikulationszeichen**. Bei Liedern ergibt sich die Artikulation oft von selbst durch den Text.

Aufgabe 3

In Swingstücken werden Achtelnoten, obwohl sie genauso aufgeschrieben werden wie gewohnt, anders gespielt bzw. gesungen: Die erste von zwei Achteln wird etwas verlängert, die zweite etwas verkürzt. Über den Noten steht dann ein Hinweis auf die swingenden Achtel, z. B. beim Lied **Let's Swing** (⟶ S. 27).

a Zeichne diese Spielanweisung in das Kästchen über den folgenden Noten.

b Schreibe die fehlenden Noten über die angegebenen Silben.

c Übt die Zeile als Loop (vielfach wiederholen) und achtet darauf, dass die Achtel swingen.

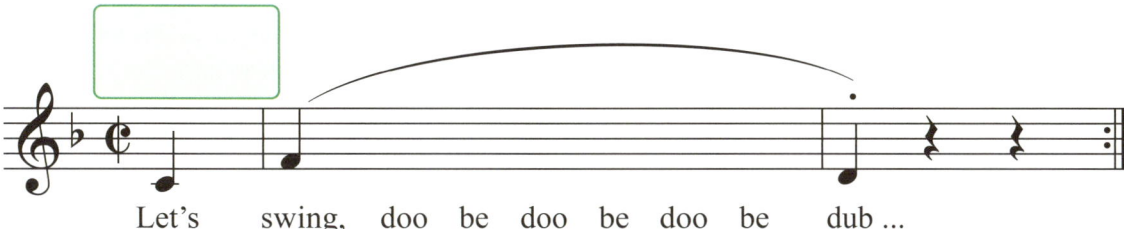

Let's   swing,   doo   be   doo   be   doo   be   dub ...

 ## Aufgabe 4

a Singt das Lied **Lollipop** (⟶ S. 160). Beachtet den Hinweis auf die swingenden Achtel über den Noten. Singt das Lied dann zum Vergleich mit „geraden" Achteln (jedes Achtel ist dabei gleich lang). Die Aufnahme auf der App hilft euch dabei.

b Beschreibt die unterschiedliche Wirkung.

Aufgabe 5   Bluesstrophe

a Schau dir den Text der ersten Strophe des **Backwater Blues** an. Bluesstrophen haben fast immer drei Teile, aber nur zwei verschiedene Textzeilen. Bezeichne die drei Formteile mit Buchstaben in den Kästchen.

When it rains five days and the sky turns dark as night, ☐

when it rains five days and the sky turns dark as night, ☐

there is trouble takin' place in the lowlands at night. ☐

b Bluestexte sind oft emotional, der Sänger oder die Sängerin fühlt sich schlecht, verletzt, traurig, schlecht behandelt, oder es ist etwas Schlimmes passiert. Schreibe einen eigenen Text (deutsch oder englisch), ungefähr so lang wie die Zeilen des **Backwater Blues**:

_____

_____

_____

 **Blues**

Du hörst sechs Viertakter aus dem **Stormy Monday Blues** von T-Bone Walker.
Sie bilden den ersten und zweiten Chorus des Songs, sind aber durcheinandergewürfelt.
Erinnere dich, was du über den Aufbau einer Bluesstrophe weißt, und achte auf den Text.
Schreibe die richtige Reihenfolge der Bausteine auf:

_____   _____   _____   _____   _____   _____

Aufgabe 6

a Höre dir die Aufnahme des **Backwater Blues** von Bessie Smith an und vergleiche sie mit der Aufnahme von Dinah Washington. Notiere Abweichungen in Dinah Washingtons Version:

Tempo: _____

Text: _____

Melodie: _____

Besetzung: _____

 b Vor allem in der Gestaltung der Melodie ist man als Bluessängerin oder Bluessänger relativ frei. Singe deinen eigenen Text auf die Melodie des **Backwater Blues** zum Playback. Es genügt, wenn Rhythmus und Tonhöhen so ungefähr stimmen.

Aufgabe 7

Bluesstrophen sind meistens 12 Takte lang. Allerdings wird nicht die ganze Zeit gesungen.

a Trage anhand der Aufnahme von Bessie Smith den Text in die folgenden Zeilen ein, so wie er sich auf die Takte verteilt, und schraffiere die Pausenabschnitte farbig.

b Höre dir im Vergleich noch einmal die Aufnahme von Dinah Washington an und achte darauf, was außer der Klavierbegleitung in den Abschnitten zu hören ist, in denen nicht gesungen wird:

_____

Das Prinzip des Wechsels zwischen einem Vorsänger oder einer Vorsängerin mit einer Stimme, die darauf antwortet (vokal oder instrumental) ist das gleiche wie in Gospels und Spirituals (z. B. in **Oh, Happy Day** in Kapitel 7). Man nennt es:

_____

Aufgabe 8 **Bluestonleiter**

a Ermittle den Tonvorrat des Liedes und notiere ihn von oben nach unten. Schreibe dazu die Töne über den angegebenen Silben der ersten Zeile in ganzen Noten auf.

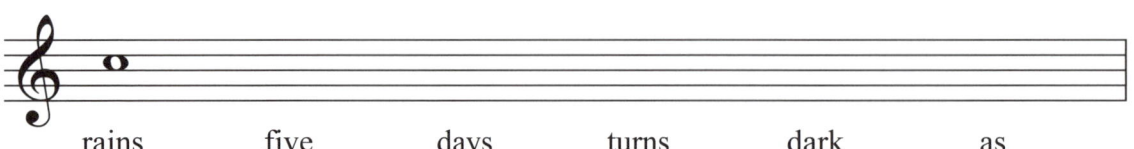

Das Lied hat keine Vorzeichen, steht also eigentlich in C-Dur. Dass trotzdem die Töne *b* und *es* auftauchen (auch manchmal gleichzeitig mit *h* und *e* in der Begleitung), ist typisch für Bluesmelodien, man nennt diese Noten **Blue Notes**.

b In Kapitel 11 hast du gelernt, wie man eine solche Tonleiter mit fünf verschiedenen Tönen nennt.

Du kannst diese _____ Leiter für die Improvisation einer Bluesmelodie verwenden.
Probiere es mit deinem eigenen Text aus Aufgabe 5 aus. Wie beim Backwater Blues sollten die Melodien
tendenziell weiter oben beginnen und zum Grundton hin absteigen.

Aufgabe 9 Bluesharmonik

Meistens verwendet ein Blues nur drei verschiedene Akkorde. Diese stehen auf der 1., 4. und 5. Stufe der Tonleiter,
in C-Dur also auf *c*, *f* und *g*. Typischerweise sind im Blues alle diese Akkorde Septakkorde, – zusätzlich zum Dreiklang
erklingt also noch eine kleine Septime:

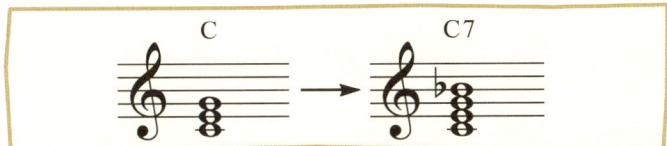

Notiere die jeweiligen Drei- und Vierklänge über *f* und über *g*:

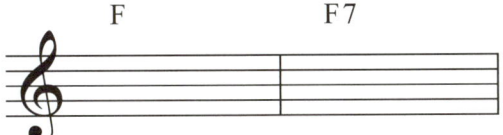
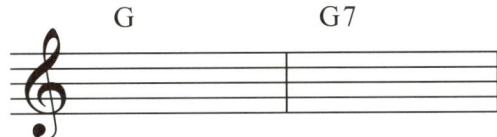

Aufgabe 10 Bluesform

Ein typischer Akkord-Ablauf eines Blues geht so (du kennst ihn schon von dem Lied Rock Around the Clock):

| C7 | C7 | C7 | C7 | F7 | F7 | C7 | C7 | G7 | G7 | C7 | C7 :|

Übersichtlicher wird das, wenn man nur die Grundtöne notiert und
den Ablauf in drei Teile teilt (passend zu den Textzeilen).

WISSEN

12-taktige Bluesform (in C-Dur)

Textzeilen	Grundtöne
A	C C C C
A	F F C C
B	G G C C

a Prägt euch den Ablauf mit folgender Übung ein: Beschrif-
tet zwölf A4-Blätter mit den Akkordsymbolen und legt
sie auf dem Boden zu einem großen Dreieck aus (siehe
Abb). Singt dann den Backwater Blues, dabei geht einer
von euch mit drei Boomwhackers (C, F, G) um das Dreieck
herum (siehe Pfeil), ein Schritt pro Takt und Zettel. Immer auf
die 1 des Takts wird der jeweilige Grundton angeschlagen.

b Bei vielen Bluessongs werden einzelne Akkorde im Ablauf ersetzt.
Vergleiche die Akkordsymbole der im Liederbuch abgedruckten Version (➔ S. 51) mit dem Standardablauf.
Beschrifte zwei Extrablätter mit den abweichenden Akkordsymbolen, lege die Blätter als Varianten neben die
vorhandenen Blätter auf den Boden und beschrifte die Abbildung entsprechend.

Aufgabe 11 Begleitmuster

 a Die hier vorgeschlagenen einfachen Muster können entweder mit Klavier/Keyboard
(ein oder zwei Spielerinnen oder Spieler) oder Stabspielen gespielt werden.

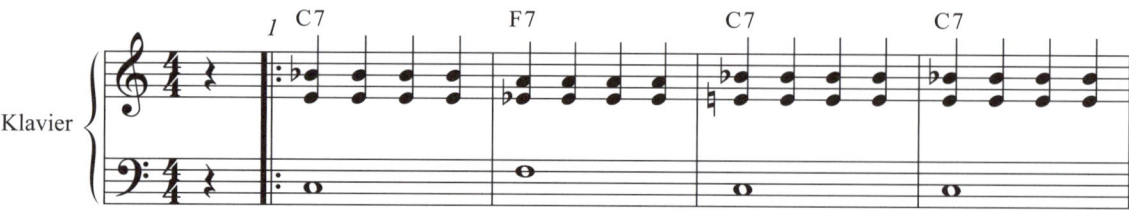

Für etwas Abwechslung sind hier zwei Begleitvarianten angegeben:

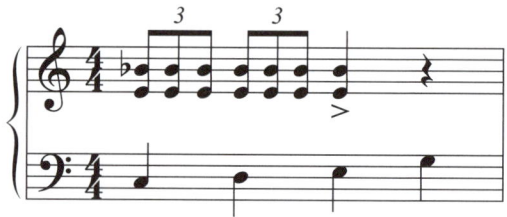

b Ergänze jeweils die letzten vier Takte der Bluesform mit der neuen Spielfigur.

 Variante 1

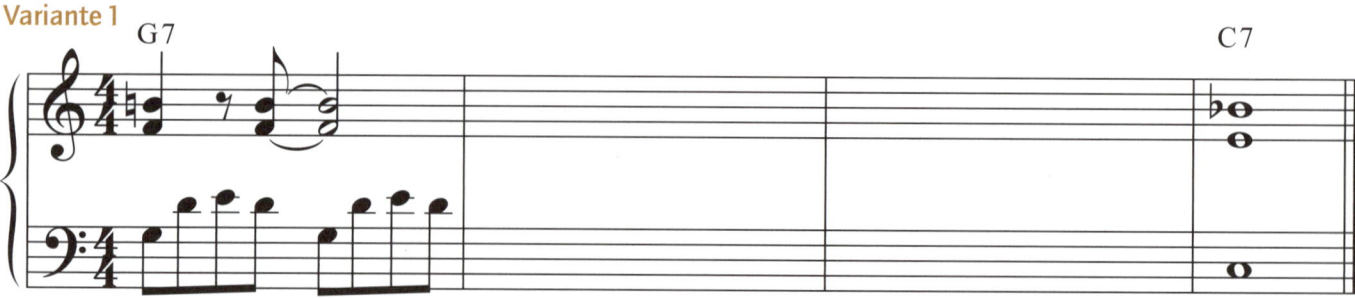

 Variante 2

Anhang

Kapitel 1

1

2
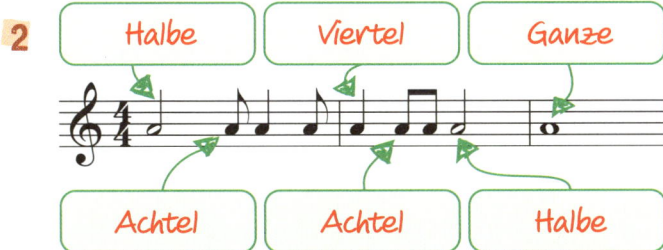

3

4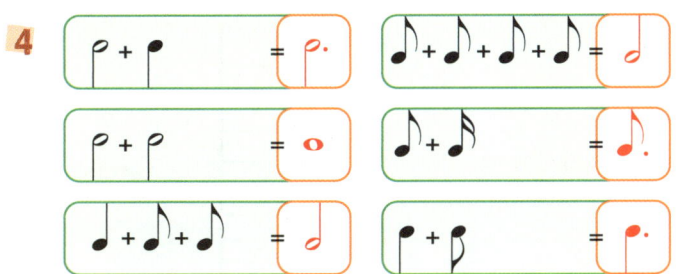

5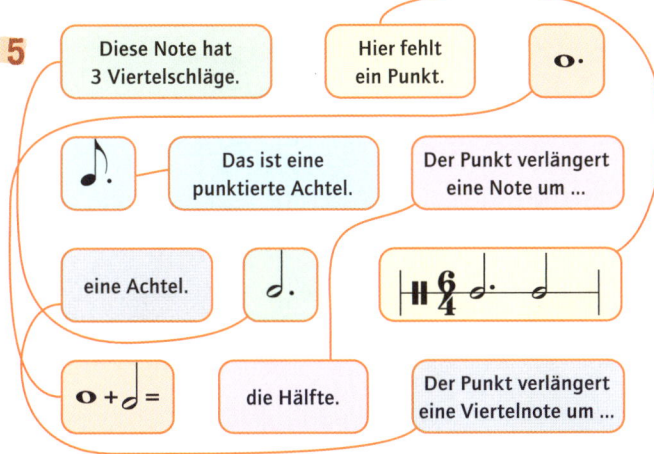

Kapitel 2

1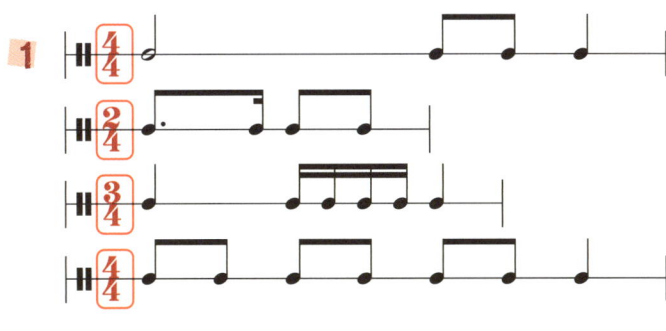

2

3a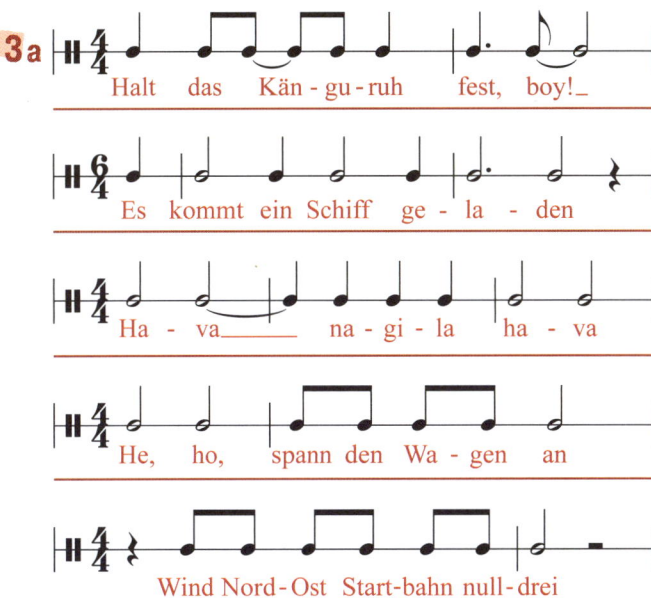

b | e2 | a3 | c5 | d4 | b1 |

Ohrzeit 1 Rhythmus

Rhythmus 1 wie Sakura (→ S.138)
Rhythmus 2 wie Somewhere Over the Rainbow (→ S.177)
Rhythmus 3 wie Jeder Teil dieser Erde (→ S.247)
Rhythmus 4 wie Hört der Engel helle Lieder (→ S.316)

Ohrzeit 2 Regelmäßige und unregelmäßige Taktarten

Lösung: $\frac{3}{4}$ $\frac{5}{4}$ $\frac{4}{4}$ $\frac{7}{8}$
Der Rhythmus ist das Hörbeispiel 4 im $\frac{7}{8}$-Takt.

Kapitel 3

1

2

Ich weiß nicht, was soll es bedeuten,
dass ich so traurig bin;
ein Märchen aus uralten Zeiten,
das kommt mir nicht aus dem Sinn.
Die Luft ist kühl und es dunkelt,
und ruhig fließt der Rhein;
der Gipfel des Berges funkelt
im Abendsonnenschein.

A B A B C D C D

3

Sah' ein Knab' ein Röslein stehn.
Himmel und Erde müssen vergehn.
Fröhlich klingen uns're Lieder
Ein Vogel saß auf einem Baum
Freude, schöner Götterfunken
Einigkeit und Recht und Freiheit
Seht, unser Lächeln, ja welch ein Glück
Horch, was kommt von draußen rein
Der Papagei ein Vogel ist
Auf de schwäb'sche Eisebahne
Ich komme schon durch manches Land

Kapitel 4

1

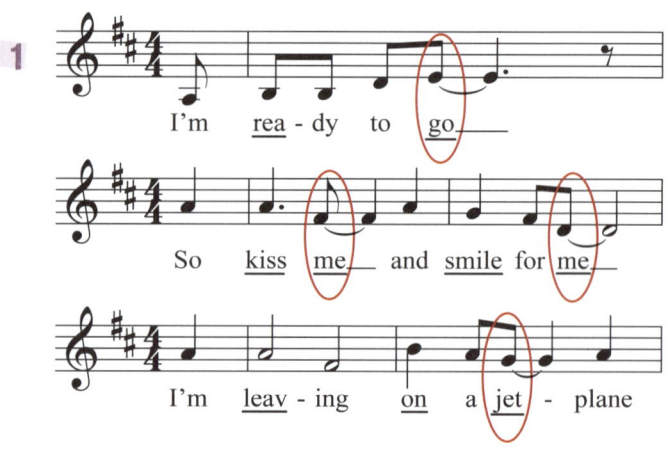

2

Griffbrett – ~~Tasten~~ – Steg – Wirbel – ~~Bogen~~ – ~~Knöpfe~~ – Saiten – Bünde – ~~Kasten~~

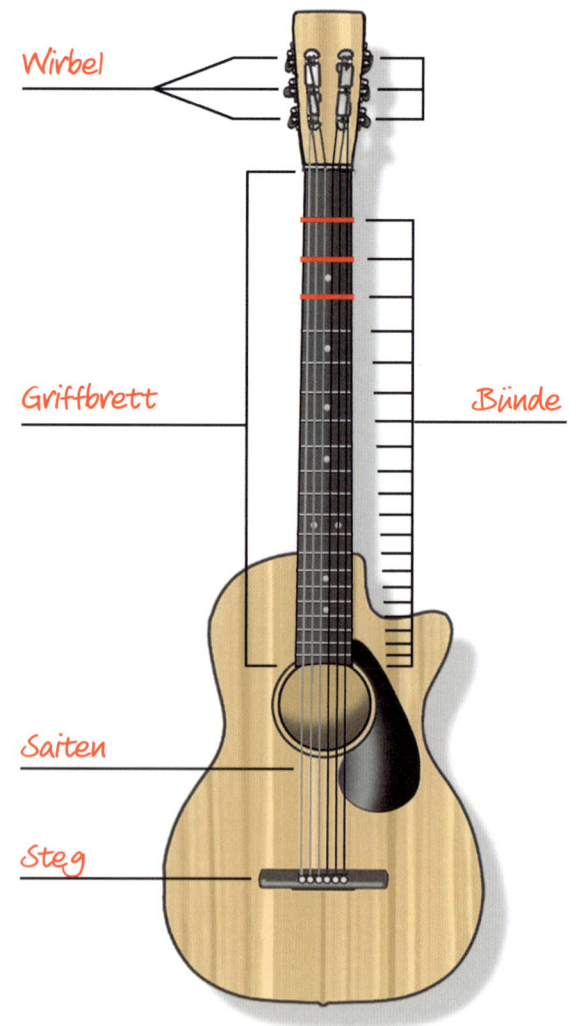

Wirbel

Griffbrett

Bünde

Saiten

Steg

Ohrzeit 3 Haltebögen

a Abgebildet ist das Lied **Singen** im Liederbuch auf Seite 10:

b Die Wörter auf die vorgezogenen Noten heißen:

Spaß   gut   Mut   froh   Charme   Arm

Ohrzeit 4 Kadenzen mit Hauptstufen

a Lösung: I – IV – V   IV – V – I   I – V – I

b Lösung: I – IV – V – (I)   I – (IV) – V – I

I – IV – (V) – I   (I) – IV – V – I

Kapitel 5

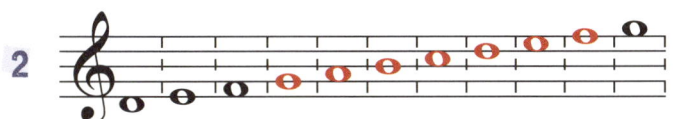

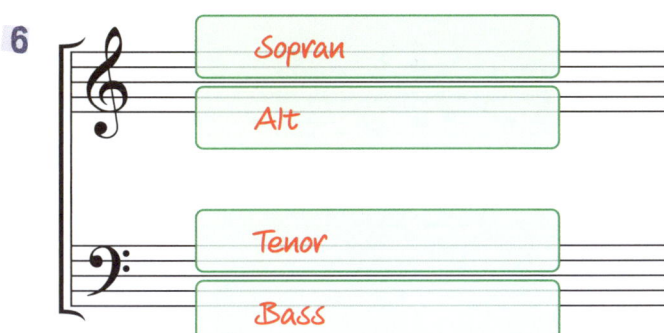

Kapitel 6

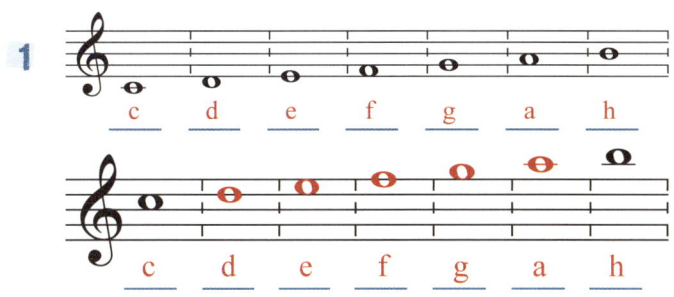

2 mit einem [#] um einen [Halbton] höher,

mit einem [b] um einen [Halbton] tiefer.

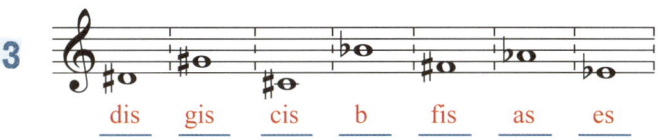

dis   gis   cis   b   fis   as   es

c b b as g f   g as b c as f es g f   es

5 Haus am See (→ S. 226)   [b]

Until It Is Done (Begleitung) (→ S. 43)   [a]

Jingle Bells (→ S. 339)   [c]

Ohrzeit 5 Parodieverfahren im Barock

Das Tempo ist *schneller*, die Tonlage ist *tiefer*, statt Streichern hört man *einen Chor*. Im zweiten Teil des Beispiels hört man statt drei Solo-Violinen *eine Solo-Stimme*. Ab hier ist auch die *Melodie* völlig anders. In beiden Beispielen hat sich Vivaldi aber Vogelgezwitscher vorgestellt.

Ohrzeit 6 Ostinato

a Das Ostinato ist *24 Mal* zu hören.

b Nachdem das Ostinato zehn Mal erklungen ist, *geht es einen Halbton höher weiter*.

Kapitel 7

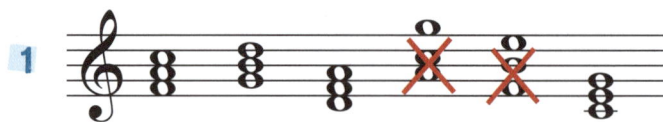

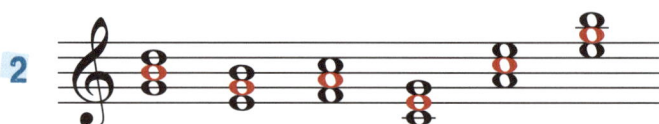

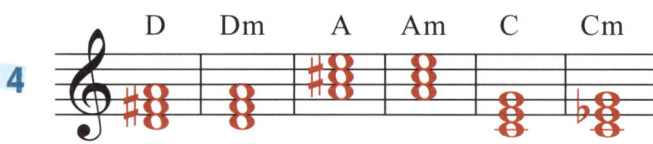

| | | D | Dm | A | Am | C | Cm |

5

Auld Lang Syne	Intervall: Quarte
z.B. Oh du stille Zeit	
Oh, when the Saints	Intervall: Terz
z.B. Dat du min Leevsten büst	
My Bonnie is over the Ocean	Intervall: Sexte
z.B. Aux Champs-Élysées	

Quinte   Sekunde   Septime   Oktave

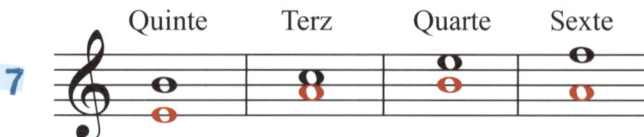

Quinte   Terz   Quarte   Sexte

Ohrzeit 7 Dreiklangsumkehrungen

GS   2.UK   1.UK   1.UK   2.UK   GS

Kapitel 8

1

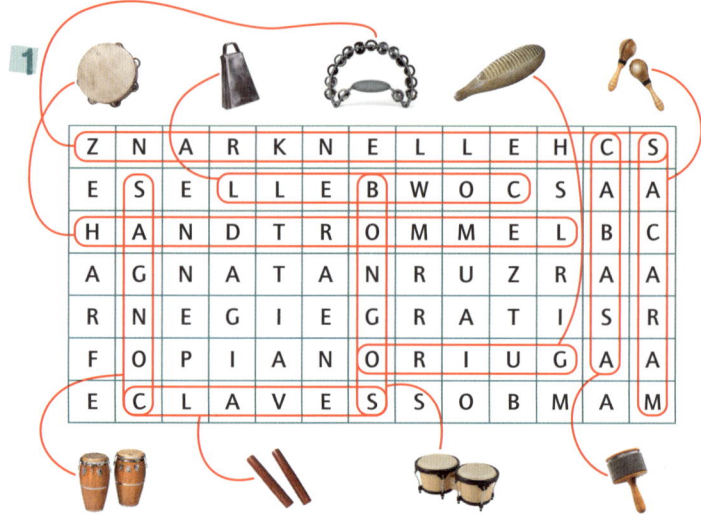

Z	N	A	R	K	N	E	L	L	E	H	C	S
E	S	E	L	L	E	B	W	O	C	S	A	A
H	A	N	D	T	R	O	M	M	E	L	B	C
A	G	N	A	T	A	N	R	U	Z	R	A	A
R	N	E	G	I	E	G	R	A	T	I	S	R
F	O	P	I	A	N	O	R	I	U	G	A	A
E	C	L	A	V	E	S	S	O	B	M	A	M

2

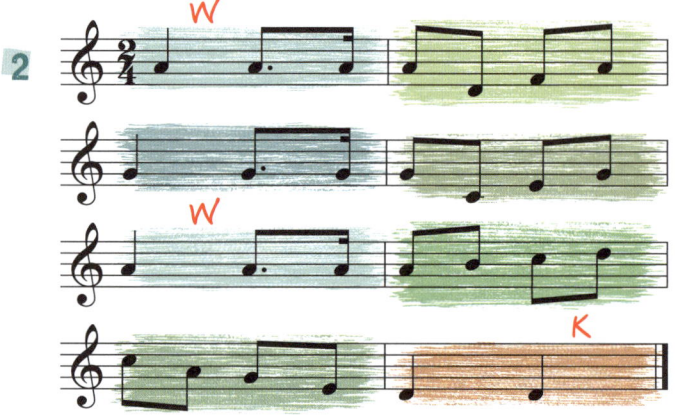

W   W   K

3

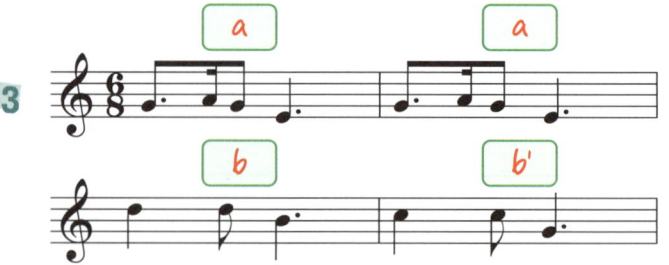

a   a

b   b'

Ohrzeit 8.1 Latin percussion

Cowbell Maracas Schellenkranz Claves Guiro
Triangel Bongos Congas alle zusammen

Ohrzeit 8.2 Intervalle 1

a k2↓ g2↓   b g2↓ k2↑   c g2↑ k2↑   d g2↓ k2↑
e k2↑ g2↑   f g2↓ k2↑   g k2↓ g2↓   h k2↑ g2↑

Ohrzeit 8.3 Intervalle 2

a k3 g3   b k6 g6   c g3 k3   d k3 g3
e g6 k6   f g6 k6   g g3 k3   h k6 g6

Kapitel 9

1

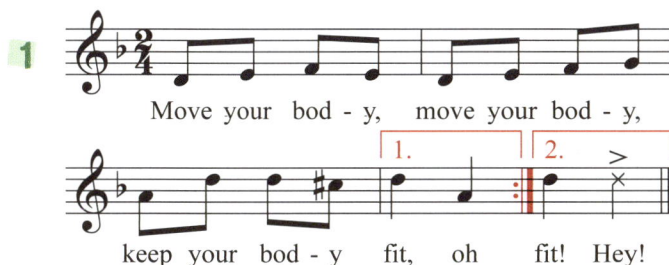

Move your bod - y, move your bod - y,

keep your bod - y fit, oh fit! Hey!

2

deutsch	englisch
Vorspiel	Intro
Schluss	Ending
Strophe	Verse
Refrain	Chorus
Zwischenspiel	Bridge

3

	Dur?	Moll?
Mor-ning has bro-ken ...	✗	
He-we-nu sha-lom alechem ...		✗
Oh, hap-py day ...		✗
Dat du min Leevsten büst	✗	

4

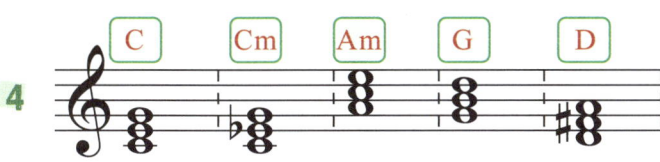

C   Cm   Am   G   D

5

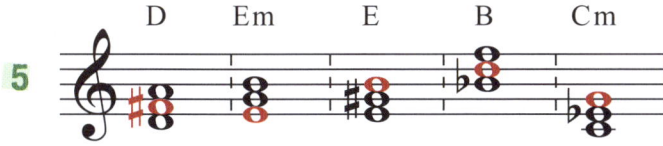

D   Em   E   B   Cm

Ohrzeit 9 Moll

Mithilfe der Akkordsymbole auf den folgenden Seiten
kannst Du deren Tongeschlecht bestimmen,
das gleich ist wie das auf der Aufnahme:

1 100 (CM), 270 (CM), 113 (CD), 251 (CM)

2 128 (CM), 56 (CD), 99 (CM), 101 (CM)

Kapitel 10

1 leise _____ (= piano)

  laut _____ (= forte)

2 mittellaut / halblaut _____

3 langsam _____

  mäßig _____

  schnell _____

  sehr schnell _____

4 Bei einer Dur-Tonleiter stehen die Halbton-Schritte
zwischen der ⎡3.⎤ und ⎡4.⎤ Stufe und zwischen
der ⎡7.⎤ und ⎡8.⎤ Stufe.

5

Es kommt ein Schiff ge-la - - den ...   moll
GT   HT GT GT

Horch, was kommt von drau - ßen rein, ...   dur
GT   GT   HT   GT

Ohrzeit 101 Kaiserquartett

a Die Wiederholung wird eine Oktave
höher gespielt.

b Das Cello spielt *eine Tonleiter.*

c Die beiden tiefen Instrumente Cello und
Bratsche spielen in diesem Abschnitt nicht.

Ohrzeit 102 Tonleitern

a **Tonleiter 1:** der 4. Ton   **Tonleiter 2:** der 7. Ton
  Tonleiter 3: der 3. Ton

b **Tonleiter 1:** der 6. Ton   **Tonleiter 2:** der 2. Ton
  Tonleiter 3: der 7. Ton

Kapitel 11

1 Bei einem Kanon singen alle die gleiche Melodie, aber zeitlich versetzt.
Wenn alle Stimmen eingesetzt haben, ist ein mehrstimmiger Satz zu hören.

2 Eine Dur-Tonleiter besteht aus 7 verschiedenen Tönen.
Eine pentatonische Tonleiter besteht nur aus 5 verschiedenen Tönen.

a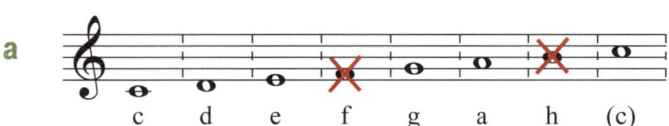
c d e f g a h (c)

b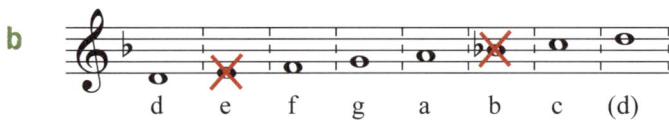
d e f g a b c (d)

3
a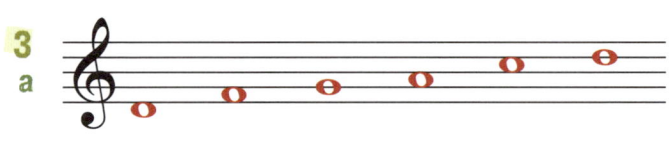

Pentatonik: ☒ ja ☐ nein

b Stern über Bethlehem

Kapitel 12

1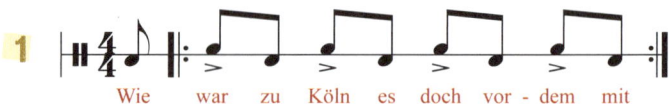
Wie war zu Köln es doch vor - dem mit

klapp-ten und lärm-ten, und rupf-ten und zupf-ten, und

2
Le - lo - la,___ le - lo - la,___ A
le - lo - le - lo - le - lo - la. B
Le - lo - la,___ le - lo - la,___ A
le - lo - le - lo - la. B'

Ohrzeit 11 Pentatonik

a

b Ausschnitt 1: Epo i tai tai yé: a, f, c
Ausschnitt 2: Lass doch den Kopf nicht hängen: a, g, d, f
Ausschnitt 3: Amazing Grace: f, a, c, g, c

Ohrzeit 12 Blues

Baustein 3, Baustein 5, Baustein 6, Baustein 1,
Baustein 2, Baustein 4

Filme auf der App

Eine Anleitung zur Installation der kostenlosen App befindet sich auf der vorderen Umschlaginnenseite.

Seite	Titel	Art
3	Rhythmus und Notenwerte	Erklär-Video
7	USA for Africa (Videoclip)	YouTube-Link
7	Artists for Haiti (Videoclip)	YouTube-Link
9	Takt	Erklär-Video
11	Bewusstmachung von Taktarten	Erklär-Video
12	Body-Percussion für 7er-Takt	Erklär-Video
12	Ungerade Taktarten	Erklär-Video
12	Das Schlagzeug	Erklär-Video
14	Dirigierfiguren	Erklär-Video
14	„Applaus, Applaus" mit Gebärdensprache	YouTube-Link
16	Klick-Laute in Zulu	YouTube-Link
21	Konzertgitarre	Erklär-Video
23	E-Gitarre	Erklär-Video
24	Schlagmuster	Erklär-Video
25	Barrégriffe mit Skordatur	Erklär-Video
29	Kehlkopf und Stimmlippen	Erklär-Video
30	Imagefilm Thomaner	Erklär-Video
31	Alles nur geklaut (Videoclip)	YouTube-Link
38	Haus am See (Videoclip)	YouTube-Link
39	Dreiklang	Erklär-Video
39	Intervalle	Erklär-Video
41	Oh, Happy Day (Videoclip)	YouTube-Link
42	Umkehrungen	Erklär-Video
44	Oh, Happy Day (Sister Act 2)	YouTube-Link
50	Choreo „Feliz Navidad" (Grundschritt 1a)	YouTube-Link
51	Choreo „Feliz Navidad" (Grundschritt 2a)	YouTube-Link
57	Ablaufplan	Erklär-Video
59	Durtonleiter	Erklär-Video
66	Kaiserquartett 2. Satz	YouTube-Link
68	Quintenzirkel	YouTube-Link
76	Body-Percussion zu Latin vs. Swing	Erklär-Video

Hörbeispiele auf der App

Eine Anleitung zur Installation der kostenlosen App befindet sich auf der vorderen Umschlaginnenseite.